KB178282

파랑새 찾는 직장인

파랑새 찾는 직장인

발 행 | 2024년 06월 25일
저 자 | 뱅대리(이승주)
펴낸이 | 한건희
펴낸곳 | 주식회사 부크크
출판사등록 | 2014.07.15.(제2014-16호)
주 소 | 서울특별시 금천구 가산디지털1로 119 SK트윈타워 A동 305호
전 화 | 1670-8316
이메일 | info@bookk.co.kr

ISBN | 979-11-410-9114-9

www.bookk.co.kr

파랑새 찾는 직장인

뱅대리 지음

- 이야기 순서 -

제 1화 은행원이 되고 싶었던 이유

'포기하면서 시작된 또 다른 꿈'

나의 어렸을 적 꿈은 경찰관이었다. 경찰관이 장래희망인 다른 꼬마들은 왜 그런 꿈을 가지게 되었는지 모르지만, 내가 경찰관이 되고 싶다고 결심하게 된 계기는 초등학교 4학년 때 혼자 만화책을 보게 되면서였다. 그 만화는 바로 소년탐정 김전일이라는 만화였다. 아마 소싯적에 만화 좀 봤다는 3040세대들은 모두 알만한 유명한 만화책이었다. 그 만화책 속에 나오는 경찰간부 아케치 경감의 스마트해 보이는 외모와 수사하는 모습에 단번에 매료되었다. 그리고 아케치 경감 같은 경찰간부가 되어야겠다고 생각한 것이 내 인생 첫 장래희망이었다.

흥미로운 사실은 만화책을 보다가 결정하게 된 장래희망 치고는 꽤 오랜 시간 동안 나의 꿈은 지속되었다.
11살 때 결정한 경찰이라는 꿈이 고등학교를 졸업할 때까지 단 한번도 굳건하게 바뀌지 않았으니 말이다. 고등학교 때 진지하게 곧바로 아케치 경감이 될 수 있는 최단거리 루트를 알아보기 시작했다. 그 방법은 바로 경찰대학교 진학이었다. 하지만, 당시에 경찰대학교는 서울대학교 법대 수준의 진입장벽이 있는 학교여서 나의 실력으로는 진학이 불가능했다. 그래서 결국 점수에 맞는 수도권소재의 대학교 법학과를 선택하게 되었다. 조금 돌아가는 방법이어도 형사법, 형사소송법등의 경찰간부 시험과목을 공부하며 시험을 준비할 수 있었기 때문이다.

그렇게 대학교 2학년까지의 생활과 군복무를 마치고 스물네 살이 되던 해에 경찰간부 시험을 준비하기로 마음먹었다. 13년 동안 마음먹었던 꿈을 향해 본격적으로 첫 발을 내딛기 시작한 것이다. 군대에서 모았던 돈으로 경찰관부시험 관련 동영상 강의와 교재를 구입하여 독서실을 결제했다. 1년에 단 한번 있는 시험 그리고 30명 남짓 선발하는 쉽지 않은 도전이었기에 13년간 응축해 온 꿈의 에너지를 제대로 쏟아붓기 위해 모든 준비를 마쳤다.

하지만, 정말 거짓말 같게도 성장드라마의 소년에게 닥치는 폭풍 같은 시련들을 이 타이밍에 마주치게 되었다. 아버지가 실직을 하시게 되어 당장 우리 집은 수입원이 없어지게 되었다. 지금 다시 생각해 보아도 그때의 상황은 참 운명의 장난 같은 가혹한 타이밍이었다. 아버지는 집에서 tv를 보시거나 다른 사업을 구상하고 계셨고 여동생은 고3인 상황.. 내색은 하지 않으셨지만 삼시세끼 가족 밥상을 차리시며 부엌에서 남몰래 내뱉는 어머니의 한숨까지 모든 상황이 가시방석같이 느껴졌다. 집 안 사정이 이렇게 되었는데 나의 오랜 꿈이기 때문에 지금부터 몇 년간 고시공부를 하겠다고 가족들에게 말할 수 있는 용기가 엄두조차 나지 않았다. 계획대로 공부를 시작은 했지만 독서실에 앉아있는 시간 자체가 너무 불편하게 느껴졌다. 하루하루 돈 문제로 부모님이 서로 언성을 높이는 상황이 많아졌고 이 상황에 공부를 하려고 독서실에 가는 나의 모습이, 가족의 힘든 상황을 외면하고 나만 생각하는 이기적 행동이라는 생각이 들었다.

부모님은 나에게 공부를 그만하라고 하신 적이 단 한 번도 없다. 하지만, 나는 내가 최대한 빨리 돈을 벌어야겠다는 생각 때문에 아케치 경감이 되고 싶었던 나의 꿈을 포기했다. 그렇게 13년간 한 번도 바뀐 적 없던 나의 장래희망은 제대로 시작도 해보기도 전에 2개월 만에 포기하게 되었다.

허무했던 상황을 누리고 있을 여유가 없었다. 오히려 마음이 더 조급해지기 시작했다. 그때의 내 심정은 망망대해에 표류하는 돛단 배를 혼자 타고 있는 기분이었다. 너무 명확하게 보였던 목표지점이 하루아침에 없어진 느낌이랄까. 그런 공허한 심정으로 표류하던 중에 아버지와 우연히 구두를 닦으며 대화를 하게 되었다. 아버지는 본인의 신세한탄 비슷하게 친구분 이야기를 내게 하셨다.
"내 친구 00 이는 가족이랑 외국에도 다녀오고 어디로 이사도 한 거 같더라. 잘 사나 봐"
"00 아저씨는 뭐 하시는 분인데요?"
"조흥은행 지점장이야"
"은행원 되면 돈 많이 벌어요? 가족들이랑 외국도 가고 돈 걱정 안 해도 될 만큼?"
"은행 월급 많이 주지"
"아빠는 그럼 내가 00 아저씨처럼 은행원 되면 좋을 거 같아?"
"아주 좋은 생각이지. 네가 은행원 했으면 좋겠다"
"은행원 했으면 좋겠다... 은행원 했으면 좋겠다..."
아버지의 마지막 그 한마디가 그날 저녁 잠들기 전 계속 내 귓가에 맴돌았다.
아버지는 칭찬에 인색하신 분이었다. 그래서인지 나는 어릴 적부터 아버지에게 인정을 받고 싶은 욕구가 많은 아이였다. 가족의 행복이 나의 꿈보다 더 중요했던 장남이기도 했다. 그리고 부모님이 돈 문제로 다투지 않게끔 내가 하루빨리 돈을 벌고 싶었다.
그렇게 나는 아버지와의 대화 속에서 내 인생 2번째 장래희망을 결정하게 되었다.

"알았어 아빠.. 내가 은행원이 되어 볼게"

제2화 경주마의 딜레마

'현재보다 소중한 미래는 없다'

오랜 시간 간직해 왔던 꿈을 포기했지만 또 다른 목표가 생기면서 오히려 마음이 편안해졌다. 10년 넘게 품고 살았던 미래의 나의 꿈꿨던 모습을 지우는 것이 서운했을 법도 했을 텐데 의외로 그렇지는 않았다. 오히려 새로운 목표가 생기고 계획을 수립하는 과정 속에 열정을 쏟아 부을 생각을 하니 내 안에 아드레날린이 폭발하는 기분이 들었다. 이때의 나는 확실히 열정 중독자였던 것 같다. 그리고 이런 감정이 내 안의 마음을 지배할 때마다 스스로 대견해하며 마음속 훈장을 달아주고는 했다. 지금은 시간이 꽤 흘러 불혹의 나이가 되었음에도 불구하고, 아직도 간헐적으로 이런 순간을 맞이하면 다시 그때의 열정이 피어나는 것을 보면서 스스로 변태 같다는 생각이 들기도 하는 요즘이다.

성격이야기가 나온 김에 잠깐 다른 얘기를 하나 더 해보겠다. 요즘은 MBTI라는 성격유형검사를 통해 나온 결과로 서로를 파악하고 분석하는 게 유행이라고 한다. 소개팅 자리에 나가면 네 가지 혈액형으로 서로의 교집합을 찾던 80년대 생들의 안주거리와는 사뭇 다르게 무려 16가지의 과학적인 분석을 통해 서로를 파악한다고 하는데 참 격세지감을 느낀다.
당시에는 이 단어조차 몰랐었지만 요즘 MBTI에 빗대어 말하면 나는 지독한 계획형 인간인 대문자 J였었다. 그때나 지금이나 아침에 일어나면 하루 생활계획표를 작성하고, 주머니에는 항상 수첩과 볼펜이 있어야만 마음이 편안한 부류의 사람이었다.

그게 뭐 어때서라고 생각할 수 있겠지만 문제는 그 정도가 너무 과한 편이었다. 하루를 30분 단위로 쪼개서 계획하는 원대한 계획을 매일 세우고 , 스무 개정도의 투두리스트를 아침마다 적어놓으면서 할 수 있는 최대치의 압박감으로 나를 몰아붙였다. 더 큰 문제는 그 목표를 달성하지 못하면 강한 스트레스를 받아했고 큰 자책을 하며 목표를 달성할 때까지 스스로를 채찍질했다. 이런 부분도 예전에는 미처 생각하지 못했었는데 요즘말로 표현하자면 메타인지가 부족하고 스스로 가스 라이팅을 일삼는 유형의 인간이었던 것 같다.
그럼에도 불구하고 이렇게 치밀한 계획과 과다한 열정의 성격은, 목표를 성취하는 부분에 있어서는 탁월한 성과를 낼 수 있는 장점도 있었다. 하지만 이런 성격은 반대급부로 번 아웃과 감정의 소모를 동반할 가능성이 매우 크기도 했다.

성격이야기를 하다가 잠깐 샛길로 빠져서 다시 본론으로 돌아오겠다. 은행취업이라는 목표가 생긴 후 처음으로 했던 액션플랜은, 이미 그 목표를 성취한 사람들을 최대한 많이 만나보는 것이었다.
보이는 대로 닥치는 대로 시중은행 간판이 눈에 띄면 그냥 일단 들어갔다. 심지어 그들이 무슨 업무를 하는 사람들 인지도 몰랐지만 그냥 들어가서 그들 앞에 앉았다. 그리고 무모하지만 순수하게 나의 꿈을 이룬 그 사람들에게 물었다.
"어떻게 해야 여기 입사할 수 있어요?"
"그러면 어떤 준비를 해야 하나요?"
"저 명함 하나만 주세요"
그렇게 근방 5KM 이내에 있는 모든 시중은행은 미스터리 쇼핑을 하듯이 모두 돌아다니며 그 질문에 대한 대답과 선배들의 명함을 수집하며 다녔다.
지금 와서 생각해 보면 번호표가 밀려있어서 바쁜 은행원들에게

민폐였을 수도 있겠다는 생각이 든다.
하지만, 당시에는 그러거나 말거나 오로지 목표를 이룰 수 있는 지름길이 무엇일까만 생각했었다.
당시에 선배들이 해주었던 대답은 조금씩 차이는 있었지만 확실한 교집합이 있었다. 은행에 들어간 선배들은 높은 학점과 높은 토익 점수등 흔히 말하는 고스펙을 가지고 있는 사람들이 대부분이었다. 거기다가 어학연수, 봉사활동, 대외활동 등 여러 가지 스토리까지 가지고 있을수록 은행에 등용될 확률이 훨씬 높다는 것이 피부로 느껴진 순간이었다.

마음이 더 급해졌다.
당시에 나는 영어는 기초공사조차 안 되어있는 중학생 수준이었고 고시공부를 할 계획으로 학점관리도 전혀 해놓지 않은 상태였다.
그때부터 오로지 은행에 입행하기 위한 스펙을 쌓기 위해 남은 대학생활을 온전히 집중했다.
제일 먼저 부족한 스펙을 쌓기 시작했다. 지나고 나니 그 해에는 다른 아무것도 기억이 안 났을 정도로 학점과 영어점수를 만드는데 1년을 갈아 넣었다. 게다가 스펙뿐만 아니라 스토리까지 만들기 위해 주말시간과 공강 시간은 모두봉사활동과 대외활동에 올인했다. 너무 목표를 위한 수단으로 나의 삶이 소비되어서 한편으로는 아쉽기도 하지만 그렇게 스펙과 스토리를 만들어가는 동안 잊지 못할 소중한 경험도 많이 할 수 있었다.
운 좋게 전국 대학교 포스터모델로 활동을 하기도 했고 독도를 탐방하는 대학생 운영진을 하며 국회의사당에 가서 뉴스에 나오기도 했다. 그뿐만이 아니었다. 전국에 있는 대학교를 대상으로 시중은행 인사 채용자가 진행하는 모든 채용설명회에 참여했다. 서울, 수도권, 지방 국립대등 전국 대학교에서 진행하는 은행 입시설명회에는 지하철과 버스, 기차를 타고 가서라도 모두 참석했다. 그리고 항상 가장 앞자리에 그리고 가장 마지막까지 남아 인사 채용자의 눈에 띄려 노력했다. 실제로 이들은 내 서류심사를 하는 실무자들이었기 때문에 이 사람들이 마지막까지 남아있는 사람들의 이름을 적어가거나 얼굴을 기억한다는 것은 200대 1의 육박하는 서류심사를 통과한 것이라 해도 과언이 아니었다.
그렇게 대문자 J였던 뱅대리의 1년 반의 취업계획은 철저한 계산과 실행의 조화로 완벽하게 성공했다. 서류부터 면접 그리고 최종 심사까지 정말 단 한 번에 끝장을 내겠다는 각오로 은행취업만 준비했고, 그 결과 제일가고 싶었던 지금의 S은행을 포함하여 세 곳의 시중은행에 최종 합격을 이루는 쾌거를 이루었다...

그 후로 지금까지 10년이라는 세월이 흘렀다. 그리고 그동안 나에게는 많은 일들이 있었다. 그 여정들 속에 후회도 있었고 감사한 일들도 많이 있었지만, 가장 아쉬웠던 부분은 경주마 같았던 나의 대학생활시절인 것 같다. 마치 양 옆의 시야를 가리고 오직 결승점만 보고 달려왔던 나의 청춘의 시간들이 지금 와서 보면 너무 아쉽다.
내 한 번뿐인 대학생활이 그랬다..
매 순간 진심이었고 최선을 다했다..
하지만, 지금 와서 보면 나의 대학생활은 오로지 이력서에 한 줄을 채워 나가기 위한 인생이었다. 미래의 결승점 통과만 보고 달렸기 때문에 순간의 기회와 인연을 너무 쉽게 지나쳐버렸다. 견문을 넓힐 수 있는 수많은 기회를 포기했고, 함께 시간을 보낸 사람들과의 깊은 유대관계를 포기하며 그다음 이력서 한 줄을 채우는 선택을 했었다.

마치 소중한 책에 밑줄 한 번을 치려고 너무 많은 내용들을 그냥 다 넘겨버린 것과 같은 행동들이었다.

소중하지 않은 일상은 없었다. 특별하다고 생각했던 목표가 사실은 더 많은 기회와 행복의 기회비용이기도 했다는 것을 그때는 미처 몰랐다. 그래서 혹시라도 지금 누군가 그때의 나처럼 '경주마의 저주'에 빠진 청춘이 있다면 이 말은 꼭 해주고 싶다.

'현재가 미래보다 훨씬 소중하다'

그러니 미래를 위해서 현재를 희생했던 과거의 나와 같은 실수는 하지 않았으면 좋겠다고...

제3화 사회성이 있는 줄 알았습니다

"룸싸롱 가기 싫어요 과장님'

제일가고 싶어 했던 회사에 단 한 번에 취업에 성공했다. 그때는 스스로가 꽤나 자랑스러웠다. 기뻐하시는 부모님과 주변 사람들의 축하를 받고 있자면, 왠지 내 인생은 앞으로도 탄탄대로만 있을 것 같다는 생각이 들었다. 하지만, 직장이라는 첫 번째 관문에 들어서자마자 장애물에 걸려 넘어지는데 까지는 그리 오랜 시간이 걸리지 않았다. 모든 개구리가 올챙이 시절이 있었겠지만, 특히 그때의 나는 아직 알에서 나올 준비가 되지 않은 올챙이었다.

기분이 곧바로 태도가 되는 미숙함...
아무에게나 진실을 투자하며 공감대를 만드려고 애썼던 미생...
챙김 받고 싶어 일부러 연민거리를 만드는 직장 내 애정결핍...

지금 다시 생각해 보아도 그때의 뱅대리는 회사생활을 시작할 수 있는 마음의 체력이 준비되지 않은 어른이었다.

대학 시절, 학교 공부를 열심히 해서 장학금을 타는 게 학생의 본분이라고 생각해서 알바 따위는 하지 않았었다. 덕분에 학창 시절 내내 장학금을 탈 수 있었다. 하지만 그렇게 공부머리를 키운 시간 동안, 아르바이트를 하며 사회생활을 배운 다른 사람들만큼의 일머리가 탑재되어 있지 않았다. 나의 그런 요령 없는 일처리 능력은 미생 시절의 나를 더욱 움츠리게 만들었다.
"하.."
매 순간 탄식이 나왔다. 매일 네 시에 은행 문을 닫는 순간까지 전력 질주를 하다가 셔터가 내려와야 쓰러진 듯 엎어졌던 날들의 연속이었다. 업무에서 자신감이 없어지자 동료들과의 관계도 쉽게 친해지기가 어려웠다. 내가 여태 살아왔던 방식의 인간 관계론은 직장이라는 생태계에서는 전혀 먹히지 않았다. 오히려 노력을 할수록 상처받는 시간이 늘어났다. 당시의 나의 모습은 마치 전쟁터에 총과 칼 대신 손수건과 마시멜로를 들고나간 이등병 같은 모습이었다.

직장생활을 시작하기 전까지만 해도 스스로 사회성이 매우 좋은 사람이라고 생각했었다. 나는 외향적인 성격으로 어느 그룹에 가도 모든 사람들과 둥글게 어울릴 줄 아는 사람이었다. 주변사람들 모두가 나에게 사회성과 친화력이 뛰어나다는 말을 해주었다. 남들의 평가에 상관없이 나 스스로도 그런 사람이라고 굳게 믿고 있었다.
하지만, 직장에 들어와서 알게 되었다.
나는 '사회성'이 준비되지 않은 사람이었다.. 그런데 문제는 스스로 사회성이 무척 뛰어난 사람이라고 생각했던 것에 있었다. 그렇게 생각하고 있었기 때문에 타인에 의해 깎였던 자존감보다 스스로 납득하지 못하는 그때의 상황 자체가 훨씬 힘들었다.
이런 상황이 계속되자 나는 상황과 주변을 탓하는 버릇이 생기기 시작했다.
"도대체 어디부터 뭐가 잘못된 거지?"
"왜 내 주변에는 이상한 선배들만 있지?"
"난 누구와도 잘 지냈던 사람인데 왜 이렇게 미움을 받지?"
온통 머릿속에는 부정적인 물음표들로 가득 찼다. 그때는 왠지 그렇게라도 생각해야 내가 여태 살아온 인생을 부정당하지 않을 것만 같았다.

그때 나는 비로소 배웠다..

소외당하지 않으려고 애를 쓸 것이 아니라 손을 벌려서 좀 더 사람들과 간격을 만들어야 했다..
학교에서 배우지 못한 독심술은 내가 직장이라는 정글에 들어오기 전에 미리 배워놨어야 했다..
그리고 직장 내 사람들에게 진실을 투자하는 건 무척 위험한 일이었다. 좀 더 입을 무겁게 했어야 했다..

그래.. 신입직원이니 일을 잘 모르고 사회생활 경험도 없으니 그런 시행착오는 누구나 겪을 수 있다고 치자... 하지만, 내가 가장 적응하지 못했던 부분은 바로 조직의 문화였다.
군대도 나름 힘든 곳을 다녀왔기 때문에 이런 수직적인 계급사회를 처음 겪어본 것도 아니었다. 하지만, 이곳에서의 조직 문화는 내가 생각해 왔던 젠틀한 금융인과는 거리가 멀었다.
먹던 술잔을 쓱 한번 닦아서 건네는 것도 너무 비위생적으로 느껴졌다. 계속 여기저기 돌아다니며 술을 따라야 하는 회식자리.. 주야장천 외쳐대는 건배사와 원샷은 술찌리인 나에겐 업무이상의 고역이었다. 그뿐만이 아니었다.. 나는 고향이 그 근처라는 이유로 아무 연고도 없는 시골소재점포에 발령받았다. 거주할 곳이 없어서 회사에서 얻어준 합숙소에서 당시 차장님과 부지점장님과 함께 숙소를 사용했다. 술을 먹고 집에 들어가도 청소에 대한 압박부터 인생 조언이랍시고 건네는 잔소리까지... 잠자는 시간을 제외하고는 모든 순간이 업무의 연장선상이라고 느껴졌다.
더 이상한 문화는 그들만의 술자리 문화와 연대감 형성이었다. 얼큰하게 술이 취하면 노래방 도우미들을 부르거나 꼭 룸살롱에 갔다.
처음엔 이게 드라마에서 보는 직장 생활의 한 장면이구나 싶었는데 빈번하게 일어나는 이 문화가 너무 싫었다. 하지만, 신입직원이었던 당시에는 싫다고 말하면 사회생활에 주홍글씨가 박힐까 봐 이런 문화를 쉽게 거절하지 못했었다. 하지만 너무 빈번하게 지속되는 이런 문화는 정말 아닌 것 같다 라는 생각이 들면서 싫다는 의사표현을 확실히 해야겠다고 결심하게 되었다.
'과장님.. 저 이제 룸살롱은 안 가고 싶어요..'
'이렇게 남자들끼리 어울리면서 서로 연대감이 생기고 호형호제하면서 나중에 다 끌어주는 거야. 잔소리 말고 따라와'
"..."
단박에 거절당했다. 다 나를 위한 거니까 시키는 대로 하라는 가스라이팅에 현혹되었다. 가는 것 자체도 싫었지만 몇 십만 원씩 그런 유흥자리에 선배들이 돈을 쓰는 것이 부담스러웠다. 그리고 몇 달 뒤에 그 선배는 나에게 이렇게 말했다.
"이번에는 네가 쏴. 카드 안 되니까 현금으로 뽑아오고"
"..."
술도 못 먹고 원하지도 않는 유흥 자리에 몇 번 끌고 가더니 신입이었던 나에게 이제는 네가 사라고 말하는 선배들이 너무 혐오스러웠다.
"그래. 이거 돈 줘버리고 끝내자"
난 그렇게 현금으로 과장님께 150만 원을 줬다.. 손이 부들부들 떨리고 분노가 차올랐다.
무엇보다도 내가 그토록 원하던 직장의 선배들 수준이 이 정도밖에 안 된다는 게 좌절 스러웠다. 그 선배들 뿐만이 아니었다.
같이 숙소에 사는 부지점장과 차장님은 숙소에 노래방 도우미까지 불러들여서 새벽까지 고스톱을 치면서 나에게 라면 심부름을 시키기도 했다... 이제는 숙소마저 들어가기 싫었다.
당시에 그런 꼴이 보기 싫어서 몇 번이나 찜질방에서 잠을 자고 회사로 출근하기도 했었다. 그 선배들은 모두 가정이 있는 사람들이었고 주말에만 집으로 돌아가며 평일엔 지방에서 이런 생활을 하고 지냈다.

느낌표였던 나의 직장생활이 1년도 채 되지 않아 물음표로 바뀌었다.

아마 대학생활 내내 이 직업만 바라보고 몇 년을 달려오지 않았더라면 사표를 던졌어도 수십 번은 던졌을 것 같았다.
"아직 내가 부족해서 그런 거야.. 첫 번째 지점만큼은 견뎌보자"
"여기는 시골이라 그럴 거야.. 서울에 있는 지점으로 가자"
그렇게 밖에 위안삼을 것이 없었다. 평일 저녁에는 등산가방에 막걸리를 싣고 야간산행을 추진하는 센터장.. 실적 달성을 못하면 퇴근 전에 매일 반성문 비슷한 사유서를 은행전표에 작성하고 퇴근시켰던 지점장... 지금 생각하면 절대 못할 것 같지만 그때는 은행의 문화가 다 이런 건가 싶었었다.

보통 지방에 배치된 신입은행원은 4년 가까이 그 동네에 머무는게 당시 국룰이었다. 이 지점에서 몇 년을 더 있어야 한다는 것이 너무 좌절 스러웠다. 그래서 나는 이곳을 탈출하고 서울에 있는 지점에 가기 위하여 여자친구와의 결혼을 일찍 서둘렀다. 결혼이라는 사유가 있으면 4년을 채우지 않아도 되는 인사이동 제도가 있었기 때문이다. 그렇게 좌충우돌 2년이라는 인고의 시간을 보내고, 드디어 나는 서울에 있는 지점에 입성하게 되었다....
"무기들아 잘 있어라"

아쉬웠던 나의 첫 사회생활의 시작.. 결론적으로 그때의 나는'사회성'이 준비된 어른이었다고 착각했던 것이 문제였다.
좋은 사람들과 함께 지내오며 두각을 나타냈던 나의 친화력은 그저 사랑이라는 자양분만 섭취하며 자라온 온실 속의 화초에 불과했던 것이다.

당시에 혼란스러워하고 힘들어하던 나를 보면서 옆에 있었던 친구가 해줬던 말이 아직도 기억이 난다.
'사회성이란 건 싫어하는 사람이랑 잘 지내는 능력인 거 같아'
그렇다.. 내가 그전까지 살아오면서 믿었던 사회성이란, 나랑 잘 맞고 나를 좋아해 주었던 검증된 사람들과의 좋은 관계였다.
그 말이 맞다.. 여태까지 나는 내가 싫어하거나 내 기준에 맞지 않는 사람은 그저 피해버리는 사람이었다.
그런 사람들 앞에서 나의 감정을 기분으로 표현해 버리는 사회성 미숙아였다.
심지어 그런 사람들에게 조차 미움받을 용기가 없어서 해야 할 말을 제대로 하지 못하는 겁쟁이였다.
처음으로 야생을 마주하게 된 순간 알게 된 나의 직장생활 첫 장애물은... 아이러니하게도 내가 가진 무기라고 착각했던 '사회성'이었다.
첫 장애물에 걸려 넘어졌다. 꽤 쓰리고 아팠다.. 하지만 당시의 나는 넘어질 수는 있어도 쓰러지면 안 되는 상황이었다. 그렇게 나는 다시 일어나 두 번째 허들을 향해 달려갔다.

제4화 회사에 중간은 없다

'거꾸로 올라탄 에스컬레이터'

첫 지점에서의 힘든 시간들을 이겨내고 우여곡절 끝에 입성하게 된 서울! 내가 발령받은 곳은 전국에서 가장 힘든 지점 중 하나로 언급되는 동대문 시장 쪽 지점이었다. 하지만, 그런 것쯤은 아무렇지도 않았다. 그때의 나는 새 출발에 열정과 흥분으로 가득 찬 사기충천한 상태였기 때문에 꺼져가기 직전이던 내 안의 희망의 불씨를 살리기 위해 필승을 다짐한 상태였다.
'할 수 있다.. 할 수 있다..'
지난 2년 동안의 힘들었던 시간들을 생각하며 계속 주문을 외웠다. 무엇보다도 내가 틀리지 않았다는 것을 스스로 증명하고 싶었다. 전 지점에서 겪은 이상한 선배들에게 보란 듯이 잘 해내는 모습을 보여줘서, 내가 아닌 그들이 틀린 것이라는 걸 깨닫게 해주고 싶었다.

사실 은행이라는 조직 안에서 가장 쉽고 빠르게 인정받을 수 있는 방법은 실적으로 두각을 나타내는 일이다. 사람들이 흔히 알고 있는 적금이나 신용카드 말고도 은행원은 팔아야 하는 상품들이 정말 많다. ELS, ELF, 적립식 펀드, 방카슈랑스, 스마트 뱅킹, 청약저축, IRP, ISA, 퇴직연금 등 실적판에 나타난 과목만 집계해도 10개가 쉽게 넘는다.
그 과목들 중에서 시기적으로 프로모션 하는 상품을 집중적으로 영업하여 성과를 내면 조직 내에서 더 빨리 인정받을 수 있는 구조이다.
나는 영업에 꽤 소질이 있는 편이었다. 사실 은행이라는 기관은 사람들이 먼저 찾아오는 인바운드 영업을 할 수 있는 환경이 갖춰져 있어서, 본인이 욕심과 열정만 있다면 그만큼에 비례한 성적을 거둘 수가 있다. 나는 서울에 온 이후로 처음부터 전력질주로 달렸다. 덕분에 꽤 단기간에 좋은 실적을 내어 동료들로부터 인정을 받게 되었다. 지점장님 추천으로 직원들 앞에서 판매 노하우 강의를 매주 마다 하면서 본사에서 주는 상을 받기도 했다. 그 외에도 서울에는 젊은 또래 직원이 많아서 함께 어울리기도 했고, 은행의 중요행사에도 참석할 기회가 많아 본사의 높은 분들에게 얼굴도장을 찍을 기회도 많았다. 그렇게 내가 할 수 있는 모든 열정을 쏟아부으며 내가 상상했었던 은행 생활과 직장 내 자아실현을 하고 있다고 생각했다.

하지만, 그렇게 6개월 정도 지났을 무렵 한 가지 큰 문제가 생겼다. 그런 열정을 지속할만한 체력이 나에게는 없었던 것이다. 급격하게 몸 상태가 안 좋아지면서 어느 순간부터 고개가 옆으로 돌아가지 않고 혈변이 나오는 단계까지 건강 상태가 악화되었다.

그때 나는 또 한 가지를 배웠다...
'변화를 위해서 가장 필요한 자질은 지치지 않는 것'이라는 것을...

내가 일하던 곳은 새벽 동대문시장 상인들의 현금파출수납을 하는 지점이었기 때문에 막내 모출납계원인 나는 가장 이른 시간에 출근을 해야 했다. 서울에 상경하며 찾은 신혼집은 지점에서 1시간 반정도 떨어져 있었기 때문에 매일 새벽 5시에 일어나야 했다. 7시부터 업무를 시작했고 야근을 하고 집에 돌아오면 저녁 10시가 지난 시간이었다. 매일매일 피곤함이 택배로 배송되는 기분이었다.. 걸어도 걸어도 계속 제자리인 거 같은.. 마치 거꾸로 올라탄 에스컬레이터 같은 날들의 연속이었다. 사실 열정과 정신력만으로 버틸 수 있는 육체적 한계는 진작에 정해져 있었다...

'버티자! 이 단계만 이겨내면 돼!'
이것이 열정 중독자였던 내가 여태까지 살아오며 알고 있던 유일한 성공방정식이었다. 그때 나는 스스로를 가스라이팅 할 것이 아니라 휴식을 선물해 줬어야 했다. 연비 낮은 신체와 예민한 정신의 소유자였던 나는 날이 갈수록 피폐해져 갔다. 마치 브레이크가 고장 난 자동차처럼 매우 위험한 심신의 상태가 되었다. 그러는 동안 나도 모르게 감당할 수 없을 만큼 스트레스가 쌓여갔다. 이미 진작에 과부하가 걸려있었는데 이것을 지점장과 동료들이 알아주기만 바라면서 하던 일을 묵묵히 계속했다. 내가 비록 몸이 아프고 힘들어도 이렇게 하면 더 인정받고 사람들과의 관계도 좋아질 줄로만 기대했다. 대상포진, 목 디스크, 치질, 손가락 골절.. 이 모든 질병들이 한 번에 나에게 찾아왔다.
너무 벅찼다... 번 아웃이 온 것이다.
첫 지점에서 바닥까지 내려갔던 자존감을 회복하기 위해 부리지 않아도 될 욕심까지 부렸던 것이 패착이었다. 건강이 안 좋아지자 열정이라는 연료는 금세 바닥이 나버렸다. 그리고 몸이 안 좋아지자 매사에 모든 것이 짜증이 났다. 생각이 부정적으로 바뀌면서 불공평한 업무량에 대해 노골적으로 화가 나기 시작했고 옆에 있는 동료들에게는 서운한 감정이 생겼다.
'나라면 저렇게 안 했을 텐데.. 나였다면 도와줬을 텐데..'
그때는 동료들이 너무 원망스러웠지만, 지금 와서 생각해 보면 그때의 스트레스는 나에게 부과되었던 게 아니라 내가 나에게 부과한 것이었다.
도와달라고 요청을 해도 도와줄까 말까 한 게 직장의 생태계인데, 내심 알아서 도와주길 기대하며 서운한 감정을 안고 혼자 그 일을 떠안았던 순진한 바보였다.

나의 이런 마음을 아는지 모르는지 동료들은 오히려 서운한 말을 쉽게 내뱉고는 했다.
'초심을 잃었네'
'열정이 예전만 못하네'
서운함이 분노로 바뀌는 건 한 순간이었다. 악의를 가지고 한 말은 아니었겠지만 동료들이 생각 없이 던진 돌팔매질에 내 가슴은 멍이 들어갔다..
지금 생각해 보면 그때 그런 말들은 그냥 그러려니 하고 넘겼어야 했다.. 하지만 그때의 나는 그러지 못했었다..
나는 바닥에 떨어진 화살들을 굳이 내 가슴에 다시 꽂았다. 그렇게 스스로 가슴에 비수를 꽂으면서 어느 순간부터 내 감정을 내가 먹고 있었다.
이런 감정은 확증편향으로 이어졌다. 나의 믿음과 일치하는 정보만 받아들이고 믿음과 일치하지 않는 정보는 무시해 버리는 단계까지 가게 되었다.
내가 힘이 들 때 바쁜 이들은 서운한 사람이고, 내가 바쁠 때 힘든 이들은 한가한 사람이라고 생각했다. 이렇게 생각이 한번 굳어버리자 또 다시 회사생활이 죽도록 싫어졌다..

순두부 같은 멘탈에 유리 같은 몸이었던 나는... 서울에 입성한 지 1년 만에 이렇게 두 번째 장애물에도 걸려 넘어졌다.
무엇보다 또 한 번 이런 고비를 넘기지 못한 나 자신이 너무 창피하고 싫었다... 여기에서는 첫 번째 지점 때처럼 이상한 사람도 이상한 문화도 없었다. 이제는 변명의 여지조차 없어진 기분이었다.
"아.. 결국 내가 문제인가 보다.. 내가 이 조직에 부적응자고 내가 은행원이라는 직업이 맞지 않는 건가 보다"
원인을 외부가 아닌 나한테서 찾기 시작하자 한없이 더 우울해졌다... 그리고 그 우울감은 매일 한 걸음 씩 부정의 늪지대로 나를 밀어 넣었다..
그 늪에 다 빠져버렸을 무렵, 나는 어느덧 세상에서 가장 센치한 염세주의자가 되어있었다.
'남들 다 잘만 다니는 회사인데.. 난 왜 이렇게 힘들지..'
나에게는 항상.. 회사는 중간이 없었다..
그러던 어느 순간부터 매일 퇴사시뮬레이션을 돌리고 있는 나의 모습을 마주 보게 되었다..

그때의 나에게는...
'할 수 있다는 최면보다 그렇게까지 하지 않아도 돼 라는 위로의 말 한마디가 정말 간절했다'
누군가가 해주지 않으면 나라도 스스로에게 그렇게 해줬어야 했다... 하지만 그렇게 하지 못했다.

어느덧 이런 시간들은 이제 그냥 한 조각의 기억이 되었다. 그때의 생각만 해도 다시 온몸이 아프기 시작할 정도로 쓰린 기억 투성이지만, 아픈 건 그냥 아픈 대로 남겨두기로 했다... 십 년 정도가 지나고 보니 그게 내 지난 기억에 대한 예의일 거란 생각이 든다...

최근 80세가 넘은 어르신과 대출상담을 진행하다가 이런 질문을 드린 적이 있다.
"어르신. 혹시 마흔 살로 돌아가신다면 그때의 본인에게 어떤 조언을 하실 거 같으세요?"
"오버하면 안 돼"
"네?"
"뭐든 간에 오버하고 살면 안 돼. 그러면 건강도 그렇고 결국 다 잃게 되더라고"

"…"

어르신이 해주신 얘기가 그날 집에 가서도 계속 생각이 났었다.

살아남기 위해 열정 중독자가 되어야 하는 대한민국의 청년들! 아프니까 청춘인 거라고 가스 라이팅 당하며 사는 인생 후배가 내 글을 본다면 이 말만큼은 꼭 전해주고 싶다.

'인생 그렇게 오버하며 살지 않아도 됩니다'

제5화 정답은 없었지만 오답은 있었다

'퇴사와 이민을 결심한 이유'

퇴사 시뮬레이션을 무한 반복하며 좀비처럼 회사와 집을 왕래했다. 조건 없이 베푸는 온정도.. 타인을 위해 애쓰는 마음도 이제 다 싫어져버렸다. 퇴사해버리고 싶었지만 그냥 실업자가 되는 건 싫었다.. 이런 고민들로 하루를 채워가던 도중에, 나에 대해 고민하고 질문을 던질 수 있는 시간들을 가져보았다
"나는 앞으로 어떤 삶을 살고 싶은 걸까?" 스스로에게 처음 던져본 이 질문은 화염에 휩싸인 내 마음에 소화기 같은 역할을 해주었다.
나는 여전히 성장하고 싶은 마음을 가슴에 품고 있었다 그리고 '주변에 따듯한 기운을 전하는 사람이 되고 싶다는 소망'을 실천하는 삶을 살고 싶었다. 하지만, 지금 내가 속해 있는 이곳에서 그렇게 하지 못하고 있었다.. 매일 직장 안에서도 도태되고 있다는 스트레스를 스스로 주입시키며 사춘기 소년처럼 삐뚤어져갔다. 그렇게 점점.. 나는 그토록 원하던 직장과 헤어질 준비를 하고 있었다.

고백하건대 나는 영혼 없이 일하고 싶지 않았다.. 내 몫의 일을 누구보다 잘 해내고 싶었고 할 수 만있다면 단단히 뿌리를 내리고 줄기와 잎을 틔우며 이곳에서 계속해서 성장해 나가고 싶었다. 노력을 안 한 것도 아니었다. 있는 힘껏 전력질주 해왔는데... 마치 출발선이 결승선이 되어버린 기분이었다.
나는 드라마에 나오는 주인공처럼 실패를 성공의 원동력으로 삼을 수 있는 능력이 없었다... 고무공처럼 다시 튀어 오르고 싶었지만

유리공처럼 바닥에 떨어지면 산산조각이 나버리는 유약한 청년이었다. 왜 운동을 배울 때 공격하는 기술보다 낙법을 먼저 배워야 하는지... 첫 번째 직장생활을 통해 여실히 체감했다.

회사 안에서의 목표와 열정이 없어지자 삶이 재미가 없어졌다. 그리고 그 결과물은 회사에서의 생활에 고스란히 반영되었다. 고인 물이 썩는 것처럼... 어느 순간부터 나는 한심하다고 생각했던 타성에 젖은 선배들의 모습을 점점 닮아가고 있었다.
그때 또 한 가지를 배웠던 것 같다..
"사람은 행복을 찾지 않으려고 할 때 고장 난 다는 것을..."
이대로 고장 나고 싶지 않았다... '직장 안에서의 비전을 내려놓고 내 인생에서의 또 다른 꿈은 뭐가 있을까? 나의 궁극적 목표... 행복한 가정생활'
그래.. 행복한 결혼생활과 앞으로 태어날 아이.. 내 개인적 야망을 버려도 될 만큼 충분히 값어치 있는 목표라는 생각이 들었다. 그리고 그 목표로 인해 직장에서의 도태됨을 스스로 위안 삼았다. 그렇게 생각하니 다시 마음의 평온함이 생겼다. 내 인생의 무게중심이 조금씩 옮겨지기 시작하면서 뭔가 깜깜한 터널 끝에 빛이 보이는 기분이 들었다.
몽당연필처럼 짧아진 자존감으로 애써 뭔가를 써보려던 애처로움이.. 새로운 스케치북에 훨씬 멋진 그림을 그릴 수 있을 것 같은 희망의 감정으로 변모하고 있었다. 그때 내 인생처음으로
이 말에 격한 공감을 했다.
'포기하면 편하다..'
삼십 평생 루저들의 변명이라고 생각했던 그 말이 그때만큼은 만고의 진리라고 느껴졌다.
그렇게 마음을 고쳐먹고 직장생활을 하기 시작했다. 여전히 회사생활은 힘들고 재미없었지만 가족과 함께 있는 시간을 늘리면서 또

다른 행복을 찾아가고 있었다.
나의 비전이었던 회사가 돈벌이 수단이 되어버리면서 익숙하지 않은 권태와 박탈감은 어쩔 수 없이 꼬리표처럼 따라왔지만 일과 내 삶을 분리하기 시작하자 확실히 스트레스는 줄어들었다.
그렇게 어느 정도 시간이 흘렀을까?? 너무 믿기 힘든 사건이 발생했다. 당시 대한민국을 시름에 빠지게 했던 세월호 사건이 터진 것이다..

내가 그린 상상 속의 행복한 가정에는 나와 아내를 닮은 아이가 항상 함께 있었다. 하지만, 그 아이가 자라면서 또 다른 세월호 사건이 일어나지 않을 거란 보장이 없다고 생각하자 불안감이 엄습해 왔다. 그런 과도한 감정이입 때문이었을까?? 정말 하루하루 우울한 날들이 계속되었다.. 밤낮으로 관련 뉴스와 생존자 확인을 하면서 무능하게 대처한 정부에 분노하며 하루를 보냈다... 시간이 흐를수록 부정적인 생각들을 자양분처럼 먹고 자란 내 안의 괴물은, 상상 속 나의 행복한 가정을 이미 잡아먹어버렸다.
그 당시 나는 너무 염세적이고 불안정한 심신의 상태였다. 이런 부정적인 생각이 꼬리에 꼬리를 물게 되었고, 결국 극단적인 감정과 결정을 내리게끔 스스로를 몰아붙였다.
'그래.. 이 회사는 내가 바라던 조직이 아니야. 이렇게 사는 건 의미가 없어'
'옛날에는 성수대교 다리가 끊어졌었지.. 백화점도 무너졌었어.. 북한은 어떻고? 여기는 언제든지 전쟁이 터질 수 있는 곳이 자나'
 '국가는 내 가족의 안전을 책임져주지 않아. 대한민국은 나의 가족이 행복하게 지낼 수 있는 곳이 아니야.. 난 이곳에선 아이도 절대 낳지 않겠어'
점점 심각해지는 확증편향이 낭떠러지에 서 있던 나를 결국 절벽 밑으로 밀어버렸다.

"퇴사하자 그리고 대한민국을 떠나자.. 이곳에서는 행복할 수 없어"

그때의 나의 심정은.. 지금 당장 결심하지 않으면 언젠가는 이런 불행이 나에게도 반드시 찾아올 것만 같은 기분이었다.
나의 대학생활을 모두 바쳐 입사했던 지금의 직장..
나의 두 번째 꿈이었던 은행원..
사랑하는 가족과 친구들이 있는 이곳 대한민국..
나는 모든 것을 내려놓고 지금 내가 있는 이곳에서 탈출하기로 결심했다.
그렇게 세월호 사건과 함께.. 내 가슴에 남은 마지막 별이 익사해 버렸다.
.. 가슴속에 멍든 부표를 띄우고, 나는 그렇게 대한민국을 영원히 떠나기로 결심하게 되었다..

...준비 안된 채로 직장전선에 뛰어들어 온몸으로 상처받고 있는 누군가 내 글을 보게 된다면, 나의 직장생활 오답노트 중 세 가지는 꼭 알려주고 싶다.

첫 째, '출발할 때는 자존심을 버려야 한다'
실력이 없을 때는 자존심도 없어야만 한다..
자존심을 버리고 참고 인내 하는 것 자체가 처음 직장생활을 할 때 필요한 '진정한 실력'이다.

두 번째, '버티지 말고 이겨냈으면 한다'
나는 버티라는 말을 굉장히 혐오한다.. 정말 힘들었던 시기에 응원이랍시고 그렇게 말하는 사람들에게 서운했던 기억들만 남아 있기 때문이다. 공감도 안되고 힘도 안되면서 마치 나를 더 나약한 사람인 것처럼 만드는 저 표현이 너무 싫었다. 그래서 누군가 지금 정말 힘들어한다면 이렇게 말해주고 싶다. "나 다움을 잃어 가면서까지 버틸 필요는 없어 하지만 꼭 한 번쯤은 본인의 임계점은 스스로 넘어보길 바래.
알을 깨고 나오면 병아리가 되지만 누군가가 깨 주면 결국 프라이밖에 되지 않거든.."

세 번째, '시간의 밀도를 높여야 한다'
시간의 흔적은 눈에 보이지 않아도 시간이 지나면 티가 날 수밖에 없다. 직장에서는 그 누구도 아닌 스스로를 위해 일해야 한다. 나 역시도 과거에 내가 일의 주인이라 여기는 태도와 노력으로 시간의 밀도를 높였어야 했다. 이 밀도의 차이가 10년이 지나고 나서 보면, 인생의 차이로 귀결되는 것을 나는 지금 온몸으로 체감하고 있다.

나의 첫 번째 직장생활노트에 정답은 없었다. 하지만, 오답은 항상 있었던 것 같다..

나의 글을 보는 모든 사람들이 행복해지길 바라는 마음으로 , 앞으로 이 공간에 더 많은 오답노트를 보여줄 예정이다.

제6화 냉장고야 나 좀 부탁해

‘너는 긍정 나는 독기’

사람들에게 퇴사를 하겠다고 알리자 모두가 매뉴얼처럼 똑같이 내게 말했다.
"퇴사하면 나가서 뭐 먹고살려고 그래?"
"지금 니 나이에 퇴사하면 너무 어정쩡해 "
"힘든 시간들이 지나면 좋은 시간도 언젠가는 올 거야"

"...사지멀쩡한 서른한 살 사내인데 어디서 무얼 한들 입에 풀칠하고 살겠어요?"
나는 그렇게 난데없는 호기를 부렸다.
내 생각에 퇴사를 하기에 좋은 나이 따위는 없다..
그리고 지나가는 건 힘든 시간만이 아니라 나의 젊음도 머물지 않고 지나가고 있었기 때문에, 나는 그 시간들이 더 소중하다고 생각했다.
그래서 나는 나를 던져보기로 결정했다.
회사밖으로 나갔을 때 내게 어떤 일이 일어나는지 보고 한 살이라도 젊을 때 그걸 감당하기로 마음먹었다.
하지만, 사실 마땅한 대안은 없었다. 그저 마음속으로 결정한 것은 딱 두 가지뿐이었다.
'은행 퇴사 그리고 대한민국 탈출...'
걱정을 한다고 불안한 마음이 줄어들지는 않았다. 오히려 주변 사람들의 걱정 어린 애정과 무심코 내뱉는 한 마디가 내 감정의 격랑을 불러일으켰다.

그래서 무엇보다 나 자신을 조절할 수 있는 나만의 범위를 일정하게 유지하려고 노력했다. 주변에서 걱정 반 궁금함 반으로 물어보는 사람들의 관심이 부담스러웠다.
그래서 최대한 빨리 다음 목적지를 정하고 싶었다. 그렇게 나는 다시 한번 내 인생의 또 다른 파랑새를 찾기 시작했다.
과거 두 번의 장래희망을 결정했던 것과 다르게 이번에 기준은 좀 더 명확했다.
세상의 기준으로 살지 않고, 버티며 살지 않고, 가족과 함께 행복한 시간을 보내며 살 수 있는 것이 다음 목적지의 기준이었다
'근데 그러려면 뭘 해야 하지?'
삼십 평생을 내가 스스로 가둬놓았던 to do list 대로 살아왔었다. 그래서 스케쥴러 밖에서 일어나는 일들은 나에게 큰 불안감을 가져왔다. 쓰나미 같은 불안감이 나를 덮쳐왔지만 이번만큼은 to do list 바깥의 삶을 살아보기로 결심했다...
하지만, 주변 모든 사람들의 걱정과는 달리 가장 두려워했던 실패가 현실로 다가오자 오히려 내 마음은 더 자유로워졌다. OMR카드를 찢어 버리고 아무것도 적혀있지 않은 빈 종이를 꺼내어 내 마음대로 정답을 적을 수 있는 시험장에 들어온 기분이었다..
"내 인생의 정답을 객관식이 아닌 주관식으로 바꿔서 찾아보자"
이번에는 더 연봉을 많이 주는 대기업에 가고 싶은 마음도 없었고, 더 능력을 인정받으며 내 나래를 펼치고 싶은 욕심도 없었다. 그냥 일상 속에서 나와 내 가족이 행복할 수 있는 직업과 환경이면 족하다고 생각했다. 기준이 명확해서일까? 생각의 나침반은 생각보다 어렵지 않게 방향을 안내해주었다.

내 마음속 나침반 시침은 나의 결혼생활을 가리키고 있었다.
서울에 있는 지점으로 올라오면서 결혼을 했던 나는 당시에 신혼이었다. 맞벌이 었던 우리 부부는 대부분 외식을 했지만 아내는 가

끔씩 내가 만들어 주는 음식을 매우 좋아했다. 객관적으로 잘하는 것도 아니었지만 이따금씩 라면만 끓여줘도 나의 요리솜씨를 치켜세워주곤 했다. 본인이 요리하는 걸 좋아하지 않아서 나를 주방 앞에 세우고 앞치마를 두르게 하려는 큰 그림이었을 수도 있지만 어찌 됐건 내가 해주는 음식을 먹으며 행복해하는 모습에 나는 기분이 좋았다.
그리고 그런 때마다 이런 생각을 해보게 되었다.
'차라리 요리를 한 번 제대로 배워볼까?'
언제나 그래왔듯이 나는 생각의 방향이 정해지고나서부터는 '하면 안 되는 이유보다 해야 하는 이유'를 찾기 시작했다.
"어차피 평생을·외식만 하며 살 수는 없잖아. 음식은 안 먹고살 수도 없는 거니까 나라도 요리를 잘하면 행복한 가정의 저녁식탁 모습을 만들 수 있지 않을까?"
게다가 공교롭게도 당시에 남자셰프들이 TV에 나와서 근사하게 요리를 하는 모습이 대중들로부터 큰 사랑을 받는 시기이기도 했다. 나 또한 그런 모습들에 매료된 부분이 있었고 내가 결정을 하는데 어느 정도 영향을 끼쳤던 것 같다.
어쨌든 그렇게
'나는 셰프가 되기로 결심했다..'

누군가는 지금 나의 살아온 이야기를 보면서 어이없어 할 수도 있을 것 같다. 아마 이 글을 읽으며 장난 같다고 느껴질 수도 있겠다는 생각도 든다.
형사물 만화책을 보고 10년 넘게 경찰이란 직업을 동경하다가 아빠 친구가 돈 잘 버는 지점장이란 소리에 은행원이 되고 싶어 했고, 그 목표를 이룬 지 4년 만에 평생 라면이랑 떡볶이만 만들어 본 주제에 대기업을 때려치우고 요리사가 되겠다고 하니 내가 생각해도 나는 꽤 재밌는 유형의 인간인 것은 사실인 것 같다.

그렇지만 그게 나라는 사람이었다..
하루 일분일초를 쪼개 쓰면서 원하는 목표를 향해 폭주 기관차처럼 달려가지만,
정작 내가 무엇을 잘하는지... 무엇을 할 때 행복한지... 나의 자아에 대해 탐색이 되지 않은 채 어른이 된 피터팬이기도 했다.
그때까지의 나의 삶은.. 어떻게 하면 나와 내가 사랑하는 사람들이 행복하게 살 수 있을지만 생각하며, 끊임없이 희망의 씨앗만 뿌려대며 살아왔던 인생이었기 때문이다.

정말 많은 사람들이 나에게 물었다.
"1억 연봉 대기업 타이틀이 아깝지 않아?"
"네, 정말 하나도 아쉽지가 않습니다"
객기 부리며 하는 말이 아니라 당시에는 이 생활을 조금만 더 지속하면 내가 곧 죽겠구나라는 상황까지 갔었기 때문에, 오히려 '이제 나는 살았다!'라는 안도의 해방감이 훨씬 더 컸다.
당시의 나의 마음은 아마 그 극한의 상황과 스트레스까지 겪어보지 못한 사람은 공감하지 못할 수도 있을 것 같다.
하지만, 그럼에도 불구하고 내가 대기업의 타이틀을 내려놓는 것에서 유일하게 나의 마음을 무겁게 했던 것은 양가부모님이었다. 양가 부모님을 실망시키고 싶지 않았다. 하지만, 부모님들께 죄송하다고 나의 남은 인생을 지금 이대로 통째로 헌납할 수는 없었다.
정말 감사하게도 양가 부모님은 나의 이런 무모해 보일 수 있는 결정을 존중해 주셨다. 어찌 보면 부모님 입장에서는 30년 간 모범생처럼 살아온 자식의 인생 첫 경로이탈을 누구보다 더 걱정하셨을 텐데, 나의 이런 도전을 믿고 응원해 주었던 그때를 생각하면 정말 지금도 감사하다.

무엇보다 지금 가지고 있는 지저분해진 스케치북을 찢어버리고

새로운 종이에 푸른 초원과 그림 같은 집이 있는 낙원을 그려보고 싶었다.
그리고 그런 생각을 하고 있을 무렵 새로운 파랑새를 찾게 된 계기가 있었다. 어느 날 내 앞에 업무를 하러 온 고객과 우연히 대화를 나누면서 다음 목적지를 정하게 된 것이다.
"우리나라 분이 아니시네요? 해외 사는 가족 분들에게 송금하시는 거예요?"
"네. 저는 뉴질랜드에서 왔는데 잠깐 여기서 지내는 거고 가족들은 그곳에서 지내요"
"뉴질랜드?? 그게 정확히 어디 있는 나라예요??"
"호주 아시죠? 거기 옆에 있어요. 반지의 제왕 영화 촬영했던 곳이에요"
TV속 세계여행 채널에서나 봤던 내 이미지 속의 뉴질랜드는 광활한 대자연속에 동물들이 초원에 누워있는 낙원 같은 곳이었다.
내가 지금 현재 그토록 가고 싶어 하던 상상 속의 원더랜드가 딱 그곳이라는 생각이 들었다.
그 고객은 이민을 가게 된 준비과정부터 뉴질랜드에서 아이들과 함께한 행복한 시간들에 대해 나에게 상세하게 이야기해 주었다.
그날 그 고객과의 상담 후 내 머릿속에는 온통 푸른 초원과 바다가 펼쳐진 뉴질랜드로 가득 차 있었다. 그리고 알아볼수록 그곳의 자연환경과 그곳에 있는 사람들의 사는 모습에 매료되었다.
"그래 여기라면 내가 행복을 찾아 떠날 값어치가 충분히 있는 곳이겠다!"
'행복하거나... 행복에서 멀어지거나...'
지금의 선택이 둘 중 하나를 결정할 거 같다는 생각뿐이었다.

그날 이후 나는 퇴근 후 강남에 있는 유학원을 돌아다녔고, 유학원을 정한 뒤 뉴질랜드 현지에 있는 요리학교에 입학원서를 냈다.

2천만 원이라는 학비를 송금했고, 요리전문학교 입학 인터뷰도 준비해서 통과했다. 속전속결로 바로 다음 날 전셋집을 내놓았고 현재 살고 있는 가구들을 중고로 처분했다.
그리고 회사에는 사표를 던졌다.

"저는 뉴질랜드로 가서 셰프가 될 겁니다"

그렇게 나는 4년이라는 애증의 시간을 함께 보냈던 은행과 마침내 헤어졌다
마지막 짐을 싸고 퇴근하고 집에 오는 길에는 만감이 교차했다.
확고한 청사진도 뚜렷한 삶의 목표도 없었지만 '인생에서 중요한 건 결과가 아닌 과정이다'라는 스스로의 확신과 위로만을 품고 마지막 4호선 지하철을 탔다.
퇴사를 했던 날 저녁, 과천역 4번 출구에 아내가 마중을 나와 있었다.
해맑게 웃으며 이제 우리 뉴질랜드로 진짜 가는 거냐고 묻는 아내를 보면서, 앞으로 내가 해줄 수 있는 행복의 최대치를 꼭 선사해줘야겠다는 결심을 했다.
" 앞으로도 넌 지금처럼 긍정적으로 살아. 내가 거기서도 독하게 이겨내 볼게. 거기 가서 더 행복하게 살자"
우리는 서로 두 손을 모아 구호를 만들었다.
"긍정!"
"독기!"
"파이팅!"

집에 들어가서 TV를 켜니 셰프들이 요리를 하는 '냉장고를 부탁해'라는 프로그램이 방영되고 있었다.
"이제 앞으로 오빠한테 냉장고 맡기면 되는 거야?"

천진 난만하게 웃는 아내의 그 말에 맥주 한잔이 당겼다. 그리고 냉장고 앞으로 다가가 혼잣말로 속삭였다..
"냉장고야.. 앞으로 나 좀 잘 부탁한다"

그렇게 우리는 새로운 파랑새를 찾아 지구 반대편 뉴질랜드로..
고통도 행복도 통째로 안은채로 떠나버렸다
"그곳에 가면 나의 진짜 행복을 찾을 수 있지 않을까?"

퇴사와 이민을 준비하며 정말 많은 고민과 준비를 했었다.
그리고 이때 한 가지 배운 점은 '조언'과 '충고'는 함부로 해서는 안 된다는 점이다.
솔직함을 가장한 충고..
본인의 궁금함을 해소하기 위한 조언..
이 모든 것들이 상대방이 원하지 않는다면 차라리 하지 않는 편이 현명하다.
차라리 조금이라도 힘이 되어 주고 싶다면 이야기를 들어주고 응원해 주는 사람이 되어 주면 된다.
가보지 않은 길은 누구도 알 수 없다.
그리고 모든 멋진 일에는 두려움이 따른다. 사람들은 누구나 자신이 알 고 있는 세상 속에서의 기준으로 살아간다. 그런데 본인이 살아온 기준으로 타인의 삶을 정의 내린다는 것은 오만하다고 생각한다.

이 타이밍에 생각나는 한 철학자의 말이 있다.
'우리는 같은 강물에 발을 두 번 담글 수 없다..'
또 다른 강물이 계속 흐르기 때문이다. 그리고 우리의 삶도 끊임없이 변화해야 한다. 그게 살아 있음을 느끼는 나의 원동력이기도 하다.
이런 생각을 가지고 살기 때문에 나 역시도 매번 길을 잃고 헤매면서도 새로운 길을 택하게 되는 건지도 모르겠다.

마지막으로 자신의 생각과 주변의 평가의 괴리감으로 고민을 하고 있는 청춘이 있다면 이 말만큼은 전달하고 싶다.

'때로는 세상의 상식과 맞지 않는 결정이 나의 삶을 나답게 되돌려 놓기도 합니다 '

제7화 서른 두 살 피터팬의 도박

'마이너스x마이너스= 플러스'

나는 꿈이라는 사치스러운 단어를 좋아한다. 그냥 그 발음부터 활자의 생김새까지 꿈이라는 단어의 모든 것이 좋다
꿈을 크게 가지라는 말도 좋아한다. 그러면 설령 그 꿈이 부서질지라도 그 조각은 타인의 현실보다 큰 조각으로 빛날 수 있다.
꿈에 취하다 보면 때로는 미래가 현실이 될 수도 있다. 그래서인지 나는 미래의 꿈을 현실로 가져오기 위한 삶을 살아왔다.
꿈을 꾸다가 꿈을 닮다가 언젠가 꿈이 되는 사람이 되고 싶은 게 바로 나의 꿈이다.
그리고 나의 이런 꿈을 밀고 나가는 힘이 바로 '희망'이란 단어다.
직장생활과 대한민국이 싫어졌던 서른두 살 피터팬 청년은 본인이 짊어졌던 무거운 짐을 내려놓고 지구 반대편 낯선 땅으로 그 '희망'을 찾아 떠났다.
지금 다시 생각해 보아도 그때의 나의 결정은 '현실적인 내가 내린 가장 비현실적인 결정'이기도 했다.

처음 도착했던 뉴질랜드의 첫인상은 공항도 크지 않았고 사람들이 타고 있는 자동차와 옷차림도 모두 소박하다고 느꼈다.
한국에서 직장을 다닐 때도 해외여행을 다녀본 적은 있지만 그때 왔었던 외국의 정취와는 사뭇 다르게 느껴졌다. 여타 다른 외국의 이국적인 풍경과 비슷했지만 잠깐 며칠 쉬러 온 것과 이곳에서 이제 살아야 하는 구나라는 느낌의 차이였던 것 같다.
우리는 어린아이 한 두 명은 들어갈 법한 이민가방 세 개를 끌고

서 시내 한복판에 있는 백패커에 짐을 풀었다. 짐이 너무 커서 그런지 그곳에 있는 유럽친구들이 신기하게 쳐다보았다.
그날 저녁 시내 한복판에서 보이는 뉴질랜드 시내야경을 내려보고 있자니 이제 진짜 실감이 나기 시작했다.
'아 내가 진짜 지구 반대편에 왔구나'

나는 뉴질랜드에 아무런 연고도 없었고 지인도 없었다. 앞서 6화에서 이 나라를 선택하게 된 이유에 대해 언급했지만 정말 그게 다였다. 그래서 나에게 두렵지 않았냐 라고 물어보는 사람들이 정말 많았다. 사실 솔직히 말하면 나도 매 순간 심장이 쿵쾅거렸다. 영어를 잘하는 편도 아니었고 외국 경험이 많은 사람도 아니었기 때문에, 이 낯선 땅에 도착하고 맞서게 된 모든 상황이 나에게도 전부 처음이었다. 하지만, 나는 처음 도착한 순간부터 시종일관 강한 척을 유지했다. 나 하나만 믿고 따라온 가족이 있었기 때문에 스스로 나약함을 인정하지 말아야만 했다. 어떤 이유로든 나의 두려움을 내가 이겨낸 순간 나의 감정은 플러스로 돌아섰었다. 그리고 그것이 내가 할 수 있는 유일한 방법이기도 했다.
 처음 2개월은 요리학교에서 연계해 주는 어학원에서 영어공부에 전념했다. 중학교 때부터 취업할 때까지 지겹게 봤던 영어책이었지만 이제 외국 학교를 다시 다녀야 한다고 생각하니 사뭇 영어공부에 임하는 태도도 달라졌다.
'학생 때부터 이렇게 했으면 진작에 영어는 마스터 했겠다'라는 의미 없는 후회와 함께 하루하루 입학 준비에 열중했다.
그리고 나머지 시간에는 나의 새로운 터전이 될 뉴질랜드를 마음껏 누렸다.
한국에 있을 때 퇴사와 이민을 결심하고 부터는 사돈에 팔촌까지 아는 인맥을 총동원하여 뉴질랜드에 살고 있는 사람들의 연락처를 수집했다.

장모님의 아는 지인의 아들, 오촌당숙의 군대 동기, 은행에 송금 보내러 왔던 고객의 친구, 내 은행동기의 대학교 때 룸메이트 형까지... 나는 짚푸라기라도 잡아야 한다는 심정으로 모든 인맥을 총동원하여 수첩 한 장에 그분들의 연락처와 이메일을 적어왔다. 어찌 보면 뻔뻔할 수도 있는 행동이지만 도착하자마자 그분들에게 연락을 해서 만나자고 했다.

"안녕하세요. 저 ooo분 소개로 이번에 오클랜드로 넘어온 000입니다. 혹시 실례가 안 된다면 차 한잔 마실 수 있을까요?"

정말 감사하게도 이 분들은 생판 남이나 마찬가지인 나와 아내를 환대해 주었다. 기꺼이 본인들의 시간을 내어 식사 대접을 해주셨고 이곳에서 필요한 정보와 주의해야 할 점까지 알려주셨다.

그분들이 태워주시는 차를 타고 산과 언덕 바다를 구경할 수 있었다.

내가 좋아하는 비냄새..

산과 나무가 적셔지며 나는 시원한 냄새..

파란색 크레파스로 방금 칠한 것 같은 바다까지..

누군가는 그냥 바다고 산이라 할 수 있었겠지만, 나에게는 그때 느낀 감정이 '행복'이라고 느껴졌다.

좋다. 아름답다. 마음에 든다 등 그 기분을 묘사할 수 있는 여러 표현이 있었겠지만 무엇보다

'마음이 편안했다'

"아.. 너무 좋다"

나도 모르게 새어 나온 이 말이 행복이라고 느껴졌다.

너무 몸 고생 마음고생을 했던 지난 몇 년의 시간들이 보상받는 기분이었다.

아름다운 장면을 보는 것만으로도 사람은 힘을 얻는다. 그 장면이 자연일 수도 사람일 수도 있지만 이곳에서 두 달간 보고 듣고 느낀

초록색, 하늘색으로 도배된 세상 속에서 나는 분명 다시 시작할 수 있는 힘을 얻었다.
그때 느낀 감정은 '마이너스 x 마이너스는 = 플러스 ' 가 되는 수학의 원리처럼 내 인생에 고생 끝에 낙이 온 것 같은 기분이었다.
그렇게 뉴질랜드에서의 꿈같은 2개월의 시간을 보내며 심신을 충전 하였고, 진짜 요리사가 되기 위해 나는 드디어 요리전문학교에 입학을 하게 되었다.

생각이 너무 많아 행동으로 옮기는 게 어려운 사람들이 있다. 그런 사람들은 모든 경우의 수를 계산하고 너무 많은 '만약에'에 사로잡혀 결국
시도조차 하지 못하고 끝내는 경우가 많다.
인간에게는 누구나 안전해지고 싶다는 본능이 있다. 하지만 안전함에 빠져 안주하는 순간 새로운 길은 열리지 않는다.
반대로 두려워하지 않는 자에게는 길이 열린다.
'해본 적이 없어'
'그건 위험해'
'이미 레드오션이야'
가보지 않은 길에 대해 이야기하는 사람들의 말에 너무 귀 기울이지 말았으면 좋겠다.
새로운 분야라고 해서 너무 두려움을 느낄 필요도 없다.
일단 부딪혀보자는 마음 하나로 그냥 시작해야 한다.
살아보니 때로는 '1톤의 생각보다 1그램의 행동'이 인생을 바꾸는 중요한 역할을 한다는 것을 배웠기 때문이다.

제 8화 탈출은 했지만 탈출구는 없었다

'행복했던 고통의 날들'

내가 입학한 요리전문학교는 학생들 대부분이 이민을 목표로 1~2년 단기코스를 밟아 취업을 목적으로 하는 학교였다. 그렇기 때문에 영어를 사용한다는 것 말고는 적응에 크게 어려움이 없었다.
같은 클래스 친구들도 한국인, 중국인, 베트남, 인도, 스리랑카 등 대부분이 아시안 이었기 때문에 함께 어울리거나 섞이는데 큰 이질감이 없었다.
그나마 고전했던 것은 능숙하지 못한 요리솜씨였다. 음식이라고는 떡볶이와 라면 말고는 만들어 본 적이 없었는데 갑자기 요리사라니..
나를 제외한 대부분의 사람들은 어느 정도 주방이 익숙한 사람들이었다. 칼 질부터 식재료 선별 그리고 음식의 순서까지 모든 것이 나보다 우월해 보였다.
그렇게 첫 학기는 매번 옆에 필리핀 짝꿍에게 매번 도움을 요청했다.
"help me"
 나는 시험을 볼 때마다 반에서 필기 1등, 실기 꼴등이라는 진기록을 세우며 합산 중간 성적으로 패스를 했다. 주입식 교육에 최적화된 30년 짬밥의 코리안이었기 때문에 수업을 들으면서
어떤 게 시험문제이고 뭘 외워야 하는지가 뻔히 보였다. 시험 전에 요약지를 만들어서 친구들에게 도움을 주었고, 대신에 실기 시간에는 반대로 도움을 받았다. 나의 요리 실력은 제대로 된 주방 안에서는 정말 가관이었다. 종종 생선을 도륙 내버리거나 빵을 태워버렸고 학기 중간이 지나도록 교수님한테 제대로 칭찬 한번 들은 적

이 없었다. 손가락은 항상 칼에 베이거나 오븐에 데어서 물집 아니면 반창고를 상비하고 다녀야 할 정도였다.

그렇지만 ,
'내 마음엔 밝은 희망이 충만했다'
함께 수업 받는 사람들과의 우정도.. 내가 지금 겪고 있는 시행착오들도..
이 모든 것이 '행복으로 가는 여정'의 한 발자국으로 느껴졌다.
그때 느꼈다.
사람의 감정을 좌우하는 건 환경이 아니라 마음에 있다는 것을..
어떤 환경에서든 생각을 바꿔 그것을 받아들이면 즐거움이 마음에 자리 잡게 되고 행복해지게 되어 있다는 것을..
물론 이런 교훈을 외국에 나와서 이색도전을 해야만 배울 수 있는 것은 아니다. 하지만, 그것을 깨우치는 시기는 각자에게 맞춰진 알람시계가 따로 정해져 있는 것 같다.
한국에서도 내가 30년을 살아오면서 크고 작은 시련들은 자주 있었다. 하지만 그때는 시련에 대비한 경각심을 고취하는 것에만 몰입하며 행복을 일 깨우는 것을 배우는 것과 거리가 멀었다.
그런데.. 너무 잘하려고 했던 것을 내려놓으니 신기하게도 그게 가능해졌다.
'힘을 빼야 인생이 좀 더 자연스럽게 흘러가는구나'
그렇다.. 나는 그전까지는 힘을 빼는 방법을 모르고 살았다. 아니, 힘을 빼면 인생이 망한다고 생각했다. 항상 최선을 다하고 열정을 불태우서 온 힘을 다해야만 한 걸음씩 목표를 향해 다가간다고 생각하며 살아왔었다.
하지만, 그냥 힘 빼고 걸어가도 걸어가지고 어차피 비슷한 목적지에서 결국 만난다는 사실을 이곳에서 새로운 공부를 하며 배워가고 있었다.

요즘 어린이집 다니는 딸아이의 한글·공부를 도와줄 때 보면 연필 쥐는 방법을 몰라서 온 힘을 다해 꽉 쥐고 한 글자 한 글자 최선을 다해 쓰는 딸내미의 모습이 애처로우면서도 귀엽다. 때로는 종이가 찢어지기도 하고 연필심이 부러지기도 한다.. 그래서 이렇게 말해주었다.
"조금 힘을 빼고 연필을 잡아봐. 그러면 더 잘 써질 거야"
내가 너무 늦게 깨달은 행복에 가까운 지름길을 딸내미는 조금 빨리 알았으면 하는 마음이 드는 요즘이다.

어찌 됐던 즐거운 마음으로 학교생활은 했었지만 현실에서 돈을 버는 것은 조금 다른 문제였다.
뉴질랜드의 물가는 한국보다 훨씬 비쌌다. 특히 월세가 아닌 주세로 내는 렌트 비용은 일주일에 20만 원 정도의 가격이었고 한 달이면 80만 원이었다.
거기에 음식 물가도 저렴한 편이 아니었기 때문에 별 다른 소비를 하지 않아도 한 달에 그냥 나가는 돈이 족히 150만 원은 됐었다. 처음 두 달 정도 마냥 즐기고 쉬다 보니 가지고 온 돈의 잔고가 금방 바닥이 나기 시작했다.
'이대로는 안 되겠다'라는 생각에 학교를 다니면서 파트타임으로 일 할 수 있는 곳을 알아보기 시작했다. 보통 생활비 때문이 아니더라도 나중에 정규직 취업을 위해 파트타임 경력과 레퍼런스를 만들어놓으려고 대부분의 학생들은 파트타임으로 일을 했다.
문제는 아직 요리학교에 다니는 초짜를 그것도 외국인인 나를 받아주는 현지 식당주인이 없었다. 내가 할 수 있는 유일한 선택지는 한국인 사장이 운영하는 식당에서 일하는 것뿐이었다. 모든 한인식당 사장님들이 그러는 것은 아니지만, 대부분의 한인식당 사장들은 정당한 페이를 주지 않고 세금을 탈세하고 최저시급 이하의 돈을 주며 워킹홀리데이로 온 대학생 혹은 나 같이 요리학교를 다니는 학생들을 염가에 고용하고 있었다. 나 역시도 한 달에 200만 원씩 적자가 나지 않으려면 선택의 여지가 없었다.

내가 처음 면접을 보고 일하게 된 곳은 오클랜드 시내에 있는 중국집이었다. 해외에 나가서 살다 보면 김치 다음으로 그리운 것이 바로 이 짜장면이다. 특히 이런 중식당은 몇 군데 없기 때문에 평일에도 꽤 많은 손님들이 찾아와 문전성시를 이루었다. 나중에 알게 된 사실이지만 주방일 중에서도 중식은 기름이 많고 불과 기름을 쓰는 일이 대부분이라 주방에서도 높은 난이도라고 한다. 이런 사실도 모른 채 호기롭게 중식당 주방에 졸병으로 들어가서 하게 된 첫 미션은 짬뽕에 넣을 홍합을 씻겨내고 까는 일이었다. 홍합 사이에 돈가스 칼을 넣어서 홍합을 벌리고 그 바깥에 붙어있는 석회 찌꺼기와 조개를 다 손으로 벗겨내야 했다.
주방은 내가 생각했던 것보다 정말 급박하게 돌아가는 곳이었다. 주문이 밀리면 주방 안에 사람들은 예민해지고 흥분하며 고성이 오고 갔다. 지쳐서 쉴 틈도 없고 상처받을 여유조차 없는 현장에서 내가 할 수 있는 거라곤 기계처럼 홍합을 벗겨내고 까는 일이었다. 요령이 없어서일까? 홍합을 몇 포대 까고 나면 항상 손가락이 엉망이 되었다. 하루에 한 번 이상은 손이 베어서 피가 흘렀다. 하지만, 계속 물과 음식을 만져야 하기 때문에 한가하게 대일밴드를 다시 붙이고 떼고 할 수 있는 상황이 아니었다. 홍합을 다 까고 나면 다음으로 해야 하는 일은 통으로 된 단무지를 최대한 얇게 많이 썰어놓는 일이었다. 칼질이 서툴렀던 나는 얇게도.. 빠르게도 썰지 못했다. 심지어 손가락 피는 계속 지혈이 안되어 단무지에 묻을 때가 있었는데 그럴 때마다 뒤통수에 따가운 고성이 박히곤 했다. 정말 그럴 때면 눈물이 핑 돌정도로 서러운 기분마저 들었다.
그렇게 정신없이 피크타임이 끝나고 손님들이 가면 산더미처럼 쌓인 설거지를 하게 되었다. 하지만 그나마 마무리를 할 때 설거지를 하는 시간이 가장 마음이 편했었던 것 같다.
마감을 하고 족히 1미터는 되어 보이는 음식물 쓰레기통을 처리하고 나면 드디어 나의 하루업무가 끝나게 된다. 그리고 그 시간이 돼서야 겨우 허리 한 번을 여유 있게 폈는데 그럴 때마다 허리에서 우두둑하고 뼈 부러지는 소리가 났었다.

그때 허리를 펴고 바라본 뉴질랜드의 하늘은 내가 동대문 지점에서 은행 퇴근길에 봤던 하늘과 크게 다른 느낌은 아니었던 것 같다.
하루 종일 한국 사람들이 짜장면 먹는 것만 보다가 이 시간에 옆에 외국인들을 보고 있자면 다시금 내가 지구 반대편에 와있는 현실을 자각하게 된다.
"아. 여기 뉴질랜드 맞는구나"
더 아이러니한 건 이렇게 부당한 시급과 노동을 하고도 나는 잘렸다. 이유는 나보다 체력 좋고 손도 빠른 젊은 워킹홀리데이 친구들이 널리고 널렸기 때문이다.
호된 신고식을 치르고 집에 돌아가는 길에 급여로 받은 뉴질랜드 100달러짜리 몇 장을 손에 구겨 쥐고 많은 생각이 들었다.

"내가 좇던 행복은 한 낱 허울 좋은 신기루였던 건가...?"

퇴사를 하고 3개월 만에 처음으로 회사생활이 다시 생각났다. 죽을 만큼 싫었던 한국에서의 회사생활이 생각나는 거에 스스로 자존심이 상했다.
하지만 여기서 포기하면 진짜 난 아무것도 아닌 놈이 되는 거였다.
그런 순간들을 마주하게 되자 퇴사하면 비로소 보이는 것들이 보이기 시작했다..
후회는 대체로 비겁한 순간에 찾아온다.
지금이 나의 최선이란 것을 인정하고 싶지 않을 때..
지금을 해결하기보다는 쉽게 과거를 후회하는 쪽을 선택한다.

"탈출은 할 수 있어도 탈출구는 따로 없구나.. 난 그냥 현실에서 도망친 거였어.."

진실을 토로한다. 나는 센척했었지만 그냥 비겁한거였다. 하지만 늦더라도 진실은 마주하는 편이 낫다고 생각하기에 지금에라도 고백한다.
비겁함을 고백하는 사람은 적어도 그 순간부터는 비겁하진 않은 거니까...
하지만, 당시에 나에게는 좌절과 포기를 선택할 수 있는 옵션이 없었다. 그리고 정신 차리고 앞을 보니 이제는 대안이 없는 것이 최후의 대안이 되어버린 막다른 골목길에 서 있었다.

주방 안에서 내가 가질 수 있는 경쟁력은 아무것도 없었다..
요리 쪽에는 재능도 능력도 특출 나지 않았기 때문에 내가 가진 경쟁력은 오로지 태도 밖에 없었다. 내가 살아온 삶은 꽃길이 아니었기에 할 수 있는 것도.. 할 줄 아는 것도 이것뿐이었다. 다행히 이 하나뿐인 승부수는 한국사장들에게 통했다. 훨씬 더 일찍 가서 더 많은 일을 해주고 더 늦게 나오는 그런 모습으로 어필해야만 나의 부족한 요리 실력을 상쇄시킬 수 있었다.
그 중국집 이후로도 학교를 다니면서 계속 주방 경력을 쌓아나갔다. 여전히 현지 식당에서의 기회는 제한적이었기에 나는 말로만 듣던 악명 높은 이민 1세대 한인 사장들의 매운맛을 온몸으로 경험하며 주방에서 경력을 쌓아나갔다. 그렇게라도 하지 않으면 경력을 쌓을 기회도.. 줄어드는 통장의 잔고도 막을 수 없었기 때문이었다.
한국 유명연예인의 부모님이 하는 고기뷔페에서 철판을 담당했던 일..
삼성전자 출신 사장님이 운영하는 초밥집에서 닭고기 해체와 김밥을 쌌던 일..
신라호텔 주방장 출신이라는 사장님이 운영하는 일식집에서 일식요리를 배운 일..
그 시간 동안 부당한 일도 참 많이 겪었다.. 반면에 지구반대편 작은 주방 안에서 '사람'과 '인내'에 대해 많이 배울 수 있는 시간들이었다.
그렇게 1년 반이라는 세월을 학교와 주방에서 보내면서 마침내 나는 요리 학교를 졸업하게 되었다..

그 당시를 다시 회상해 보자면, 나는 '행복한 고통의 날들'이었다고 표현하고 싶다.
육체적으로는 정말 힘들었다. 마치 몸이 가루가 돼서 사라질 것만 같은 시간들이었다. 하지만, 고통이 만들어내는 추억들이란게 있다. 그리고 이제는 그것마저도 내게는 행복의 한 조각이다. 그 고통을 행복으로 기억할 수 있게 된 것은 아마도 내가 감정의 조미료를 사용하는 법을 체득했기 때문일 것이다.
적어도 2년 전에 뉴질랜드를 처음 왔을 때 보다는 확실히 키가 한 뼘이상 자란 '성장한 어른'이 되어 있었다.

'스스로 태우지 않고 빛나는 별은 세상에 없다'
빛나고 싶다면 스스로 태워야만 한다는 진리를, 이 글을 읽는 독자분들은 빨리 깨닫기를 진심으로 소망한다.

제9화 미스터 초밥왕의 행운

'내 인생에 부전승은 없었다'

졸업을 하는 순간부터 마음이 급해졌다. 대부분의 요리학교 학생들은 졸업하자마자 경력의 연속성과 영주권 취득을 위해 기존에 파트타임으로 일했던 곳에서 비자를 받는 것이 일반적이었다. 하지만, 나는 졸업 후만큼은 한인 사장이 아닌 현지 식당에서 일을 해보고 싶은 로망이 있었다. 그래서 조급함을 잠시 미뤄두고 수많은 현지 식당에 이력서를 제출했다. 몇 번은 면접까지도 갔었지만 아쉽게도 키위(뉴질랜드 현지인)들이 하는 레스토랑과는 끝내 연이 닿지 않았다. 졸업장을 얻으면 1년이라는 기간 동안 구직을 할 수 있는 비자가 주어졌지만 계속 이렇게 취준생으로 시간을 허비할 수는 없었다. 그러던 중에 내가 타협을 하게 된 곳은 일본인이 운영하는 레스토랑이었다. 스무 명 정도 되는 일본인들이 일하는 꽤 규모가 큰 음식점이었고 기존에 일했던 한인식당보다도 훨씬 나은 조건을 제시해 주었다. 영어권 국가에 와서 양식을 전공하고 일식 셰프로 취직한 것이 조금 아이러니한 상황이었다. 하지만, 외국인들과 일할 수 있는 환경이기도 했고 기존에 내가 생각하는 일본인들은 계산이 정확할 거라는 인식이 강했다. 그렇기 때문에 적어도 비자나 돈 문제로 나의 뒤통수를 때리지는 않을 거다라는 생각이 들기도 했다. 이러한 이유로 스스로와의 타협을 끝내고 마침내 나는 이곳을 선택하게 되었다.

"이라쌰이마세~ 오갸끄사마데~"
나의 하루는 이라쌰이마세로 시작해서 이라쌰이마세로 끝났다. 고객이 입장을 할 때마다 북을 치며 저 말을 외치는 것이 나의 주요 임무였기 때문이다. 물론 북을 치는 것이 전부는 아니었다. 오픈 주방에서 초밥을 만드는 담당을 하며 고객들에게 최대한 일본 현지 분위기를 낼 수 있는 의상과 도구를 사용하며 응대를 했다. 여직원들은 일본 전통의상을 입고 서빙을 하며, 나는 마치 일본에서 건너온 프로 초밥러 느낌을 풍기는 옷을 입고 큰 북을 울리면서 토치를 이용해 초밥을 만들었다.

일본 사람들과는 함께 일하면서 배운 점이 참 많았다. 6개월 넘게 일하면서 봤었던 일본인들 중에 그 누구도 요령을 피우는 모습을 본 적이 없다. 정말 일하는 시간 동안만큼은 모두가 그 가게 주인인 것처럼 최선을 다하는 모습이 굉장히 인상적이었다. 게다가 중간중간 쳐다볼 법도 한데 일하는 시간 동안 어떤 누구도 휴대폰을 쳐다보는 일도 없었다.

내 인생 통틀어 군대 다음으로 이렇게 각 잡힌 규율 속에서 일사분란하게 조직이 돌아가는 것을 본 건 처음이었다. 심지어 누군가가 강압하거나 훈계하지도 않았는데 말이다. 간혹 지금도 일본으로 여행을 가면 열차를 운행하는 분들이나 숙소를 안내해 주시는 분들의 친절함에 감동받을 때가 많다. 나도 이때 일본사람들과 일을 하면서 이게 일본인들의 성실한 DNA인 건가 라는 생각까지 하게 되었다.

"초밥에 밥알이 몇 개고? 280개다 명심해라!"

최근 인기 있는 드라마에 나왔던 대사를 보면서 내가 초밥을 배울 당시의 생각이 많이 났었다. 내 사수는 사시미 담당 할아버지 히로키상 이었는데 그분은 처음 나를 보고 악수를 건내었을 때 말했다.

"손이 차네.. 합격!"

처음에는 무슨 의미인지도 몰랐는데 초밥은 콜드푸드이기 때문에 열이 전달되면 재료자체의 맛이 쉽게 변하는 음식이라 초밥 담당

자는 손이 찬 게 좋다는 뜻이었다.
'혈액순환이 잘 안돼서 손발이 찬 태음인일 뿐인데... 이런 걸로 칭찬을 받네 ㅋ"
나는 하루에 6시간 이상을 초밥을 만들면서 어느새 북 치면서 초밥을 만드는 그 동네의 미스터 초밥왕으로 변모하고 있었다.
일본 사람들은 그 가게에 한 명뿐인 한국인을 특별하게 대하지도 차별하지도 않았다. 그리고 내가 가진 경력과 실력에 맞는 정당한 세금신고와 급여를 지급해 주었다. 장사가 엄청 잘 돼서 몸이 고되긴 했지만 이곳에서 일한 건 잘한 선택이라는 생각이 들었다. 그들은 내가 함께 섞여 있을 때는 일본어 대신 영어를 사용해 주었다. 그 마음이 고마워서 나도 일본어 공부를 자투리 시간에 하게 되었고 낮은 등급이긴 하지만 거기서 일하는 동안 JLPT자격증도 취득했다. 그렇게 반년정도 지나면서 말하는 건 서툴러도 일본 사람들의 대화를 따라갈 수 있는 수준까지 일본어 실력이 올라왔다. 가끔 영어권 국가에 와서 일본어만 늘고 있는 이 아이러니함에 현타가 올 때도 있었다. 지금도 남들은 외국에서 몇 년을 살다가 왔으니 영어가 원어민 수준인 거 아니냐며 남의 속도 모르고 물을 때가 있지만 그럴 때마다 내가 혼자서 멋쩍은 웃음을 짓는 진짜 이유이기도 하다.

영어뿐만이 아니었다. 방 한 칸에 살면서 화장실을 다른 사람들과 공유하는 공간에서 1년 가까이를 지냈던 우리는, 원래 우리가 상상했었던 외국스러운 삶에 갈증을 느끼고 있었다. 하지만, 현실은 내가 벌어오는 주급으로는 원룸 집세에 휴대폰 요금 그리고 어쩌다 먹는 짜장면 한 그릇 정도가 우리가 부릴 수 있는 최대 사치였다. 현실이 이렇다 보니 나야 그렇다 하더라도 아내에게는 외국의 좋은 집 그리고 좋은 환경에서 살아볼 수 있게끔 해주고 싶은 마음이 들었다.

그런 아쉬움을 가지고 있던 중에 도전하게 된 것이 오페어(가정돌보미)였다. 오페어란 아이를 돌보면서 그 집에 거주하고 숙식과 일정 급여를 지급받 는 직업이었다. 와이프가 취업한 집은 부유한 중국인 가정이었다. 그리고 바다가 보이는 2층 대저택에서 외국인 가족과 함께 살며 돈도 벌 수 있는 좋은 기회였다. 동시에 나는 근처에 있는 민박집의 차고 옆 반지하방으로 이사를 갔다. 그 집의 렌트비용은 엄청 저렴했기 때문에 그때부터는 둘이 함께 주말에 여행도 가고 저금도 조금씩 할 수 있을 만큼의 여력이 가능해졌다. 함께 생활하지 못하는 생이별 같은 구조였지만 이렇게 독하게 하지 않으면 이도 저도 되지 않는 상황이라고 생각했었기 때문에 우리는 이 계획을 강행했다.
정말 감사하게도 중국인 부부는 우리의 상황을 이해하고 많은 배려를 해주었다. 좋은 곳에도 함께 데려가주고 항상 식사 자리 나 가족 모임에 나를 초대해 주었다. 그 중국인 가족은 나중에 헤어지는 순간까지도 우리에게 해줄 수 있는 모든 배려를 다 해주었다.
'중국인들은 시끄럽고 매너가 없다'라는 선입견이 강했었는데 이때 함께한 시간들 덕분에 중국인들의 계산 없고 정스러운 모습에 크게 매료되었다.

정확하고 성실한 일본인! 계산적이지 않고 정스러운 중국인!
뉴질랜드에서 펼쳐진 '한중일 삼국지 라이프'는 생각보다 재미있고 행복한 나날들이었다. 이대로 조금만 더 버티면 우리가 원하는 영주권을 취득하고 그 후에는 우리가 원하는 삶을 살 수 있겠다는 희망과 안정감이 생기기 시작했다.
그렇게 겨우 자리를 잡을 무렵.. 우리의 뉴질랜드 인생에 큰 지각변동이 생겼다.
하나는 이민정책의 변화로 오클랜드가 아닌 지방 소도시에 가서 일을 하지 않으면 영주권을 취득할 수 없는 상황이 되었고 또 다른 하나는 우리 사이에 아이가 생겼다.
'이제 겨우 안정되었는데 직장도 옮기고 이사도 가야 한다고? 그리고 내가... 아빠가 된다고...??
정말 중요한 순간에 우리에게 닥친 큰 변화들이었다.

...생각해 보면 나는 인생을 살면서 공짜로 주어진 '부전승' 같은 행운이 별로 없었다. 우연히 경품에 당첨된 적도.. 남들에게는 어쩌다 찾아오는 뜻밖의 작은 행운도 거의 없었다. 그래서일까? 나는 언제부터인가 더 이상 행운을 좇지 않기 시작했다. 행운을 좇다 보면 실망하고 실망하다 보면 좌절했던 경험들이 여러 번 반복되었기 때문이다. 내가 아닌 다른 사람들에게 일어난 행운을 바라보며 부러워하던 내 모습도 싫었다
그래서 이런 우연을 가장한 시련이 찾아올 때마다 스스로 최면을 걸었다.

'다른 사람들에게 부전승이 기본값이라면 나는 예선전이 기본값이야'
'그래 나는 예선전부터 이겨나가면 되는 거야. 그래 봐야 남들보다 한 발 더 뛰면 되는 거지 내가 운이 없는 건 아냐'
그래서인지 남들로부터 보여지는 '행운'이라는 단어도 이제는 내게 그저 막연한 활자에 불과하다
반면에 나는 행운 대신 기회를 좇는 것에 집중한다. 기회를 좇아 노력을 다해야 남들만큼의 결과를 거머쥘 수 있다고 생각하기 때문에 최대한 많은 기회를 잡기 위해 노력한다.
그래서 그때나 지금이나 망설일 시간에 나는 묵묵히 도전할 수 있는 기회에 집중한다.

당시에도 겨우 안정감을 느낄 때쯤 이민정책이 바뀐 것 때문에 좌

절했었고, 불안정한 시기에 아이가 생겨서 너무 두려웠었다. 하지만! 그 후로 7년이 지난 지금의 결과를 보면, 그 당시 나에게 시련이라고 생각했던 사건들은 내 인생 최고의 행운이었다. 그때 그런 파고가 내 인생에 없었더라면 지금 내 옆에 있는 내 인생 최고의 보물인 우리 딸도 없었을 것이다.
나는 그렇게 또 하나를 배웠다.
'어떤 일은 불행을 가장한 행운으로 다가오기도 한다는 것을..'

행운과 행복은 비슷하게 느껴지지만 본질적으로 다르다.
행운이 따르지 않는다고 해서 행복하지 않는 것은 아니다. 혹시라도 본인이 평소에 운이 없다고 생각하는 사람이 있다면 먼저 그런 인생을 살아온 사람으로서 이 말을 전해주고 싶다.
"불확실한 행운에 기대지 말고 확실한 기회를 좇으세요! 그러다 보면 행복이 저절로 따라올 겁니다"

"행복의 문은 한쪽이 닫히면 다른 쪽이 열리는 법이다. 그러나 우리는 닫힌문만 오랫동안 보기 때문에 우리를 위해 열려있는 다른 문을 보지 못한다 "

제10화 뉴질랜드에서 만난 파랑새

‘행복의 필수 조건= 일상의 즐거움’

이제는 아내뿐만 아니라 배 속에 아이까지 책임을 져야 하는 상황이 되었다. 그래서 나는 더더욱 두려운 마음을 들킬 수 없었다..
무섭고 무거운 책임감이 느껴졌다...
내 인생을 뒤돌아보면 이런 책임을 져야 하는 상황들이 꽤나 많았던 것 같다. 어릴 때부터 집안의 장남이면서 밑으로 동생들만 있었기 때문에 나는 언제나 첫 째였다.
그래서 나는 필연적으로 이런 훈련을 계속할 수밖에 없는 환경이었다.
8살 때도.. 5살 때도.. 나는 동생들을 이끄는 ′골목대장의 사명감′으로 어떤 상황이 닥쳐도 동생들 앞에서 무서운 감정을 내색하지 않았다.
어린아이들은 길을 잃었을 때 형이 울어버리면 마치 도미노처럼 무너져 버리며 모두 다 같이 울게 되기 때문이다. 이런 경험을 어렸을 적부터 해왔기 때문에 아마도 본능적으로 내 몸이 기억하는 습관이었을 것이다. 결과적으로 인생을 살면서 두려운 마음이 들 때도 힘든 상황이 닥쳐도.. 이 숙련된 책임감은 나에게 큰 무기가 되어 주었다.
그래서 책임이란 나에게 ′무겁지만 귀한 짐′이다.
′두려움′이란 감정에 대해 지금까지 스스로 깨닫고 실천하고 있는 것이 한 가지 있다. 바로 내 마음속 두려움을 설렘으로 전환시키려 노력하는 것이다. 그러다 보면 그 과정 속에서 찾아오는 두려움이 용기와 자신감이라는 인생의 연료로 변모하기도 한다.
그리고 이런 연료를 가지고 있는 덕분에 나는 다른 사람들보다 ′

비를 맞으며 달리는 것을 두려워하지 않는다'
한 가지 더 '두려움'에 대한 나의 생각을 말하자면, 나는'두려움도 하나의 습관'이라고 생각하는 사람이다. 그렇기 때문에 그런 습관이 생기는 것 또한 매우 경계한다..
그런 내가 두려움을 떨쳐내기 위해 우선적으로 하는 일은 '두려움을 규정하는 일'이다.

이번에도 마찬가지였다.
"그래... 너무 당황스러운 건 사실이지만 내가 느끼고 있는 두려움이 무엇인지를 먼저 파악해 보자"
첫 번째, 나는 지금 당장 이직을 해야 한다. 그리고 뉴질랜드의 어딘지 모를 시골 마을로 이사를 가야 한다.
두 번째, 10개월 뒤에는 아이가 태어난다. 출산도 육아도 앞으로의 일이 너무 막막하다..
우리에게는 정말 심각한 사안이었지만 두려움이란 감정을 느끼는 것 자체가 지금의 나에게는 너무 큰 사치였다. 머리로 생각할 시간이 없었다. 당장 구인광고를 찾아 지금의 문제를 해결할 수 있는 더 작은 도시의 가게를 당장 찾아야만 했다. 다행히 운 좋게 급여조건과 업무시간 그리고 비자를 내가 원하는 대로 지원해 주겠다는 사장님을 바로 찾게 되었다. 그 사장님은 이민 2세대로 작은 시골동네에서 초밥 가게를 운영하는 분이었다. 아마도 너무 시골이어서 사람을 구하는 것이 어렵다 보니 그분도 오래 일할 수 있는 사람이 필요했었는데 마침 자리가 공석이었던 것이다. 서로의 니즈가 맞았기 때문에 가능한 일이었다. 그렇게 결정을 한 뒤 기존에 직장과 집을 최대한 빨리 정리했다.. 그렇게 2년 동안 정들었던 오클랜드를 떠나 정말 영화에서나 볼법한 시골 동네 '다가빌'이라는 소도시로 이사를 가게 되었다.

뉴질랜드 북쪽에 위치한 이 다가빌이라는 동네에는 한인 가족이 우리를 포함하여 세 가정밖에 없었다. 한국인이 거의 없는 동네여서 그런지 그때부터가 진짜 외국에 온 기분이었다. 새로운 주방에서 일을 하는 것은 그다지 어렵지 않았다. 이제 나름 2년 경력자라서 돌아가는 상황이 눈에 보이기 시작했다. 숨 쉴틈도 없이 일했던 기존의 직장들에 비하면 오히려 여유가 있을 정도였다. 일 뿐만이 아니라 생활에도 많은 변화가 생겼다. 8시에 출근해서 4시에 퇴근하는 스케줄 덕분에 퇴근해서 집에 가면 아직도 오후 4시 반밖에 되지 않았다.
주말을 위해 평일을 희생하던 한국에서의 삶과 는 다르게 평일도 여유가 있는 진정한 주 7일의 삶을 누리게 되었다.
'평일도 소중한 내 인생의 한 부분인데.. 왜 주말만 편애하며 살았지..'
왜 진작에 이런 환경으로 옮길 생각을 못했을까 라는 생각을 했었다.
집에 가서 옷을 갈아입고 그날의 저녁거리를 함께 장 보며 저녁식사를 마쳐도 6시가 채 되지 않았다.
내가 한국에서 그토록 바랬던 ' 저녁이 있는 삶'이 비로소 이곳에 와서 가능해진 것이다. 그뿐만이 아니었다. 동네 자체가 차를 타고 10분만 나가도 멋진 바다와 석양을 볼 수 있는 멋진 자연환경으로 둘러싸여 있었다. 하늘과 바다의 똑같은 색감을 보면서 아무 생각 없이 현실과 동 떨어져 있는 느낌을 받다 보면 다시 현실세상에서도 살아갈 수 있는 힘이 충전되기도 했다.
이런 생활이 익숙해지면서 나는 나도 모르게 조금씩 변하고 있었다.
항상 자극적이고 역동적인 삶을 통해 '살아있음'을 느꼈었던 과거와는 달리, 이제는 멈춰있는 것들에 더 시선이 가기 시작했다. 그동안은 전혀 관심 없었던 풀 한 포기와 나무 한그루에도 감동을 느끼기 시작하는 내 안의 낯선 감수성을 보게 되었다.
돗자리 하나와 간식거리를 챙겨서 매일 저녁 해변가 앞의 모래를 밟고, 지는 노을을 보며 하루를 마무리하고는 했다.
정말 매일매일이 햇살 따듯한 '즐거운 소풍 같은 날들'이었다.
이름 모를 어느 바다에서 석양을 바라보던 그 순간... 나는 행복에 가장 근접한 사람이었다.

비단 자연환경뿐만이 아니라 그곳에서 펼쳐진 시골 라이프는 여러모로 풍족했다. 오클랜드와는 다르게 정말 작은 동네였던 다가빌에서는 이웃 사람들과도 교류할 기회가 많았다. 옆 집아저씨는 농사지은 고구마를 가져다주기도 했고, 같은 교회 아주머니는 직접 낚시해 온 생선요리를 먹어보라고 가져다주기도 했다. 그곳에서 만난 동네 사람들은 평일에도 함께 저녁식사를 제안하기도 했고, 우리의 영어실력 향상을 위해 스스로 대화 상대를 자처해 주기도 했다.
정말 대가 없이 우리에게 베풀어주는 그야말로 '따듯한 온정'이었다.
한국에서도 어릴 적 이후로는 경험해보지 못했던 가슴 따듯해지는 이웃사촌 간의 정을 만리타국에서 느끼며 하루하루를 행복하게 보냈다.
풍요롭지는 않지만 모자랄 것 없었던 그때의 시간을 통해 자본주의에 쩌들어 그동안 잊고 살았던 인생의 중요한 '행복 한 조각'을 되찾았은 것 같았다.
그저 숨 쉬듯 자연스럽게 되는대로 즐겁게 살다 보니 어느덧 나는 근심과 걱정을 몇 스푼 덜어낸 가벼운 사람이 되어있었다. 경직된 나의 삶이 스무 살 이후 처음으로 말랑말랑해진 것이다.
군 제대 이후 숨 가쁘게 달려왔던 지난 10년의 시간을 돌이켜 보면, 아마도 가장 마음 편히 보낸 시간들이지 않았나 싶다.
막연하게 행복하고 싶어 떠난다라고 외쳐댔지만 구체적으로 그게 뭔지 설명하기 힘들었었다. 하지만, 이때 보낸 시간들을 기점으로 행복의 정의를 내릴 수 있게 되었다.
뉴질랜드 시골동네에서 보낸 시간들을 통하여 내가 알게 된 행복의 필수조건은 '일상의 즐거움'이었다.

그렇게 멈춰진 것 같았던 우리들의 시간은 흘러갔고 아내도 어느덧 임신 8개월 차에 접어들었다.
이제 슬슬 출산을 준비해야 하는 상황이 다가왔다. 문제는 우리가 병원까지 2시간을 차로 이동해야 하거나 응급 시에는 헬리콥터를 타고 병원으로 이동해야 하는 지구 반대편 시골동네에 살고 있다는 점이었다. 출산과 그 이후의 일에 대해 현실적인 고민이 깊어졌다. 병원에 가서 의사들의 의학용어를 알아들을 자신도 없었고 정말 긴급한 상황이 되었을 때 도움을 받을 수 있는 가족 한 명이 없다는 것이 아내와 나에게는 큰 불안요소였다. 한국에 계신 부모님을 모셔올까도 생각했지만 그 마저도 상황이 우리 생각대로 이루어지지 않았다.
이런 고민은 , 그냥 부딪히고 버티고 이겨냈었던 지금까지의 상황과는 아예 다른 차원의 문제였다. 결국, 아내는 고심 끝에 한국으로 가서 출산과 산후조리를 받기로 결심했다. 나도 그렇게 하는 것이 마음이 편할 거라고 생각했다. 하지만, 문제는 그렇게 되면 내가 함께 갈 수가 없다는 점이었다.
이미 영주권에 필요한 영어점수와 학력 그리고 경력과 비자까지 모든 준비가 끝난 상황이었기 때문에 앞으로 이곳에서 1~2년이라는 시간만 더 버티면 영주권 취득이 가능한 상황이었다.
그때 주변에서는 모두 나에게 이렇게 말했다.
"어차피 신생아 때는 아빠가 필요 없어. 그리고 기억도 못해"
"몇 년 떨어져 있으면서 여기서 그냥 있어. 아깝잖아.."
하지만, 그렇게 나 혼자 이곳에서 몇 년을 더 준비해서 설령 영주권을 취득하게 되더라도.. 그것은 내가 찾던 행복의 모습이 아니었다.
오히려 그 시간을 함께 있지 못했던 것을 평생 후회할 것만 같은 생각이 들었다.
정말 많이 고민을 했다... 어쩌면 내가 인생을 살면서 가장 내리기 힘들었던 결정 중 하나였던 것 같다.
그리고 오랜 시간 고민 끝에 마침내 나는 결정했다.

내가 생각했었던 행복한 가정의 모습과 영주권 취득이라는 큰 성취가 양립할 수 없는 것이라면..
나는 그 성공의 뒷모습을 배웅하며 행복한 가정의 모습을 보는 쪽에 서 있기로..

그렇게 우리만의 파랑새를 찾아 지구 반대편까지 왔었던 우리의 도전은... '출산'이라는 새로운 국면을 맞이하며 막을 내리게 되었다...

... 이미 시간이 훌쩍 지나 딸아이는 지금 7살이 되었다.
그 당시 많은 사람들이 말했던 것처럼 딸아이는 내가 옆에 있었던 신생아 때를 기억하진 못한다. 하지만 나는 그때의 선택에 단 하나의 후회도 없다. 딸이 태어나는 순간부터 지금까지 함께 해온 시간들은 내 인생에 있어 가장 소중한 시간들이었기 때문이다.
만약에 신이 나에게 다시 한번 그때 선택할 수 있는 순간으로 가는 타임머신 티켓을 선물한다고 하더라도 나는 그 선물을 받지 않을 것이다..
하지만 정말 솔직하게, 그때 그곳에서 보냈던 10개월이라는 꿈같은 시간은 가끔.. 아니 많이 그립기는 하다.

시간이 지날수록 기억은 추억이 되고 추억은 꿈이 된다. 그리고 마치 아무 일도 일어나지 않았던 것처럼 느껴지기도 한다.
그때의 시간들이 지금의 나에게 그렇게 느껴진다.
점점 희미해져 가는 그 추억을 생각하며 글로 옮길 때면, 나는 시각피질을 발동하며 그 장면을 머릿속으로 그리고는 한다.
한 번쯤은 다시 그 꿈같던 현실로.. 아니 현실 같은 꿈으로 다시 한번 들어가 보고 싶은 요즘이다.

제11화 잔혹한 낙관주의

'잊지 말자..나는 우리 가족의 자긍심이다'

3년 만에 돌아가는 한국행 결정에 아내는 매우 상심했다. 심지어 보고 싶었던 가족들과 친구들에게도 이런 결정을 알리는 것이 '패배자'처럼 보일까 봐 자존심이 상한다고 말했다.
처음 시작부터 마지막까지 나의 모든 결정을 묵묵히 따라주었던 아내였기 때문에 그 말을 들을 때 나 역시도 굉장히 마음이 속상했다. 아내의 그런 모습을 보면서 성취에 대한 집착과 욕심 때문에 스스로를 갉아먹었던 나의 지난 과거가 생각났다.
'이것이 아니면 절대 안 돼'라는 집착은 건강한 사고방식이 아니다. 애착이 지나치면 실망이 커지기 때문에 이런 상황에 무엇보다 중요한 것은 자기 자신을 잃지 않는 것이다.
하지만, 말이 쉽지 이런 진리를 깨닫고 스스로 늪에서 빠져나오는 것은 생각보다 어려운 일이다. 무엇보다도 내가 힘들었던 감정을 똑같이 겪게 하고 싶지 않았다. 그래서 어떻게든 좋은 기분을 디자인해보려 노력했다.
그런 노력의 하나로 한국에 들어가기 전, 호주 골드코스트를 경유하여 한국에 들어가는 태교 여행을 제안했다. 뉴질랜드의 광활한 자연과는 다르게 호주의 골드코스트 해변은 마치 신이 아기자기하게 만들어놓은 작품 같았다. 우리는 그곳에 있는 일주일 동안, 함께 요리학교를 다녔었던 형의 따듯한 환대와 가이드를 받으며 호주에서의 행복한 추억을 안고 한국행 비행기에 올랐다.

3년 만에 돌아온 한국의 1월은 내 평생 가장 추운 겨울이었다. 인천공항 출입문이 열리자마자 밀려오는 찬바람에 숨을 쉬기 힘들

정도였었다. 그렇게 인천대교를 건너며 바라보는 한국의 야경을 보면서 '꿈에서 다시 현실로 되돌아온 것 같은 기분'이 들었다.
"다 잘될 거야.. 할 수 있어"

누구에게나 불확실성과 실패의 가능성은 어둠 속에서 나는 무서운 소리와 같다. 그래서 대부분의 사람들은 불확실성보다는 불행해지는 것을 선택한다.
하지만, 나는 비록 실패했다는 소리를 들을지언정 불행해지는 선택을 했던 적은 없다.
우리는 장모님 댁에 당분간 함께 있기로 했다. 출산 이후 가족의 도움이 필요했기 때문에 이곳에 있기로 결정한 것이다. 그렇게 뉴질랜드에서 한국에 도착한 다음날부터 나는 다시 일거리를 찾아다녔다. 여태껏 성실하게 학교생활을 하면서 장학생의 성적으로 학교를 졸업했고 시중은행 입사까지 했었는데... 현재 내가 가지고 있는 무기가 어떤 것도 없다는 사실이 좌절스러웠다.
그럴 때마다 혼자 주문처럼 이 말을 되뇌었다
"아니야.. 할 수 있어. 잘 될 거야"
나는 현실을 직시하면서도 애써 스스로를 격려하기에 바빴다. 이때부터가 '잔혹한 낙관주의'의 시작이었다.
한국에 돌아오자마자 갑자기 서른네 살의 백수가 되어있었다. 그것도 아무 대책도 없는 무방비 상태인..
열정이라는 무기와 청년이라는 타이틀 하나로 밀어붙였던 지난 과거의 노력처럼 구직활동을 하는데는 한계가 있었다.
하지만.. 생지옥은 사람을 행동하게 만들었다.
나는 강남에 있는 보험 모집인 설명회부터 시작해서 집 근처 일대를 돌아다니며 전봇대에 영어개인과외 전단지를 붙이고 다녔다. 아직도 기억에 남는 건 목 빠지게 기다리던 영어과외 연락이 딱 한 명 왔었는데 다단계 판매를 하시는 분이셨다. 그분은 오히려 나에게 본인의 상품을 함께 영업하자며 제의를 하셨다.. 유일하게 연락을 준 고객이 지금의 나의 상황을 이용하려는 사람이라는 게 참 어처구니가 없었다.
'나는 이런 일을 하는 사람이다'라는 의심 없는 확신을 가지는 것이 정말 중요하구나 라는 생각을 그때 많이 하게 되었다. 왜 과거에 어른들이 그렇게 기술을 배우라고 했는지도 그때 돼서야 실감이 났다. 그리고 그런 자괴감이 들 때마다 과거의 선택을 자책하는 방향으로 나의 생각회로는 돌아갔다. 하지만, 과거의 실수를 되풀이하지 않기 위해 이번에는 스스로를 가스라이팅하지 않았다.

'그래.. 인생의 선택들이 쌓이면 그게 지금의 나야. 과거의 선택들이 모여서 지금의 내가 여기에 서 있는 거다. 그 어떤 것도 후회하지 말자'
혼자 수백 번 마음을 다잡았지만 조급한 마음이 드는 건 어쩔 수 없었다. 당장 지출되는 월세부터 생활비까지 생각하면 다단계던 전단지던 나는 일을 해야만 했다.
그래도 몇 년 동안 해외에 체류한 경험을 가지고 당장 어필할 수 있는 것은 '영어학원 강사'였다. 스스로 영어를 잘한다고 생각한 적은 한 번도 없었지만 어찌 되었건 이력서에 적힌 나의 걸어온 길은 동네 영어학원에서는 통용되는 스펙이었다. 그렇게 집 근처에 있는 영어학원에 면접을 보고 바로 그다음 날부터 출근을 하게 되었다.
한 달 월급 180만 원... 세 가족이 생활하기에는 턱 없이 부족한 돈이었다. 장모님네 집 한편에 같이 살아서 식비는 아낄 수 있었지만 현실은 월세와 보험료를 내는 것도 부족했다.
'아이가 태어나면 더 많은 지출이 생길 텐데... 어떡하지..'
편의점에서 캔커피 하나 사 먹으며 죄책감을 느끼는 내 모습이 너무 초라하게 느껴졌다.

"괜찮아.. 다 잘 될거야"

지금의 불안한 마음을 누군가에게 위로받고 싶었다. 그동안 보지 못했던 지인들을 만나면 왠지 이 감정들이 조금이나마 해소될 것 같아서 용기 내어 연락을 했다. 하지만, 그것은 나의 오산이었다. 불과 3년밖에 지나지 않은 시간이었지만 내가 다른 세상에 있는 시간 동안 한국에서는 꽤 많은 것이 변해있었다. 일단 만났을 때 대화의 주제부터가 달라져있었다. 예전에 만나면 연애 이야기나 안부를 묻는 등 다소 가벼웠던 수다의 주제가, 이제는 부동산과 주식 등 돈에 관한 이야기를 하는데 사람들은 집중하고 있었다. 나와 비슷한 월급쟁이였던 주변의 지인들은 저마다 집을 사고 투자를 해서 많은 돈을 가지고 있는 것처럼 보였다.
나는 지금 캔커피 하나 사 먹는 것에도 부담을 느끼는 처지인데 집값이 몇 억이 올랐다 얼마를 벌었다 하는 지인들의 이야기를 듣고 있을 때면, 나만 빼고 모두가 로또에 당첨된 것 같은 우울한 기분이 들었다.
당시에 나는 그런 대화에 참여할 수 있는 지식의 깊이도 없었고, 알았어도 행동할 수 있는 자본력도 없었다. 게다가 그런 대화를 옆에서 계속 듣고 있다가 보면 나 혼자만 뒤쳐진다는 조바심과 함께 그 마음이 상대적 박탈감으로까지 이어졌다.
그런 상태와 감정을 요즘말로 표현하면 '벼락거지'라고 하는데 그때의 내 상황이 딱 그랬다.
그냥 최선을 다해 열심히 산 죄 밖에 없는데... 다시 한국에 돌아온 나는 돈도 마음도 결핍으로 가득 찬 '거지'가 되어있었다

그때 나는 확실히 한 가지를 배웠다.
'행복의 반대말은 불행이 아닌 비교라는 것을..'
보통 깨달음은 행복이 아니라 좌절과 고통 속에서 온다. 고민과 갈

등의 시간도 결국 성장으로 가는 과정이다. 지금 이 답답한 현실이 '동굴이 아닌 끝이 보이는 터널' 이기를 기도하며 스스로 눈과 귀를 막았다. 그렇게 알 수 없는 패배의식과 열등감에 사로잡히면서 더 이상 사람들을 만나는 것이 무섭고 싫어졌다.

'사람이 마음을 아끼다 보면... 가장 먼저 얼어붙는 건 본인의 마음이다'
그렇게 얼어붙은 마음 때문에 나는 한국에 돌아와서조차 보고 싶었던 사람들에게 대부분 연락을 하지 못했다. 스스로 고독의 덫을 놓고 그곳에 나를 가둬버린 것이다.
사촌이 땅을 사면 배가 아프다던 옛 속담은 정말 속 좁고 놀부 같은 심보의 사람들만 가지는 편협한 감정이라고 생각해 왔다. 하지만, 그때의 내가 느낀 감정은 이런 비슷한 것들이었다.
확실한 것은 이 열등감인지 치사함인지 모를 내 안의 감정이 나를 갉아먹고 있었다...
 좀 먹는 감정을 걷어내기 위해 내가 정면돌파를 선택한 방법은 , 그 비교 대상을 칭찬함으로써 나에게 되돌아 올 질문들을 사전에 원천봉쇄 해버리는 것이었다. 진정 그 사람들을 칭찬하고 싶어서가 아니라 사실은 상처받기 싫어서 스스로 방어하기 위해 했던 행동들이었다.
이 과정 속에서 또 한 가지 깨달은 점은
'승부욕 같은 감정은 이런 상황에 아무런 도움이 되지 않는다'는 사실이었다. 성장하고 싶다면 인정이 먼저다.. 남을 인정하는 과정이 곧 나의 발전을 위한 필수조건인 이유이다.

지금 나의 상황이 이렇게 되었지만, 나는 여태껏 내가 걸어온 발걸음을 의심해 본 적은 없다..
방황한다고 해서 길을 잃은 것은 아니라는 소신이 있었기 때문이다.
이런 사유들로 나는 고국에 들어오자마자 어느새 '가시 돋힌 고독한 고슴도치'가 되어있었다.
그리고 동시에 이런 상황 속에서 드디어 딸아이가 세상에 태어났다

예전과 달라진 점은 나는 이제 더 이상 내 탓을 하지 않는다... 나의 치열함은 죄가 없다.. 안 되는 세상이 문제 일뿐
아무리 다시 생각해 보아도 내가 했던 노력과 과정은 아무런 죄가 없다.
누가 내 노력과 과정을 평가해?
그리고 이럴 때마다 나의 마음 바닥을 콘크리트처럼 지지해 줬던 마법의 주문이 있다.
"잊지 말자 나는 우리 가족의 자긍심이다"

다시 돌아온 한국.. 아빠라는 새로운 역할..
철없던 피터팬의 진짜 어른인생이 시작되었다

제12화 우연한 행복이란

'각자의 인생, 각자의 속도'

나는 한국에 돌아왔지만 외국에 있을 때보다 더 외로운 시간을 보내고 있었다.
"타인과 내 인생을 비교하며 열등감을 가지는 것만큼 스스로를 갉아먹는 것이 있을까?"
나는 이 덫에서 빠져나오기 위해 독서와 운동을 시작했다. 특히 유약한 마음 근육을 키우기 위해서 양서를 손에 잡히는 대로 읽었다. 그 결과, 자기 계발서와 전공 서적만 읽었던 과거와 달리, 이때의 고독함을 계기로 시작한 독서는 내 인생에 좋은 자양분이 되었다.

돌이켜보면 과거에 내 인생의 무게중심은 항상 사람에 있었다.
하지만, 그 무게중심을 나한테로 옮기는 것이 정말 중요하다는 사실을 깨달았다. 과거의 나는 그러지 못했지만 지금.. 그리고 앞으로는 타인을 신경 쓸 시간에 스스로를 더 단단하게 채워야 한다는 것을 온몸으로 체감했기 때문이다.

우리는 저마다 모두 '각자의 인생, 각자의 속도'가 있다.
그리고 어떤 나이에도 '이 나이에 늦었다'라는 말은 틀렸다고 생각한다. 나이 때문에 조급했었던 나의 과거를 뒤돌아보면 삶의 어떤 시간에도 실은 늦게 도착한 적은 없었다. 재수를 하는 학생도, 취업을 하는 청년도, 결혼을 준비하는 직장인도 모두 정해 놓은 나이에 이뤄내야 한다는 공통된 잣대를 들이밀었던 것뿐이다.

'그래.. 나는 내 시간을 살아갈 뿐이다.. 내가 겪은 변화들 그리고 내 시간을 살며 만난 사람들과 알게 된 경험들.. 그런 것들을 소중히 여기며 그냥 내 나이를 받아들이면서 내 속도로 걸어가면 된다. 남을 부러워할 시간에 차근차근 내가 되어 가는 편이 낫다. 진짜 어른이란 나밖에 가지고 있지 않은 나의 이야기를 소중히 여길 줄 아는 사람이다. 그런 어른이 되면 된다.'
그렇게 나를 채워가는 시간 속에서... 나는 조금씩 어른 수업을 혼자서 독학하고 있었다.

정말 다행인 것은 이렇게 나를 채워가는 시간 속에 우연한 행복들이 있었다. 그중 하나는 내 인생 최대의 행복이자 행운인 딸내미였다. 모든 부모들이 공감하는 말이겠지만 갓난아기를 보고 있으면 내 마음속 모든 근심과 걱정들이 정화되는 것 같은 기분이 든다. '사랑스럽다'라는 표현만으로는 부족하다. 우주를 얻은 기분이랄까.. 아이를 통해 얻게 되는 행복함은 내가 지금까지 살아온 어떤 순간의 행복과도 견줄 수 없는 '행복의 최대치'임에는 분명하다.
또 다른 하나는 당장 눈앞에 생계를 위해서 시작한 '영어학원강사' 일이었다. 학원강사는 고육지책으로 시작하긴 했지만 나의 적성에 꽤 잘 맞는 일이었다. 사실 영어 자체에 자신감이 있지는 않았다. 하지만, 프랜차이즈 학원의 경우 거의 시스템이 완성되어 있기 때문에, 선생님의 영어 실력보다도 아이들과 학부모가 어떻게 하면 학원을 더 좋아하고 만족해 할 수 있는지의 역량이 중요했다. 나는 다른 강사들처럼 영어를 원어민 수준으로 잘하지 못했다. 하지만, 은행 고자산 고객을 담당하며 터득한 고객관리방법과 오픈 주방에서 초밥을 만들며 외국인들을 응대했던 담력이 이 일을 하는데 큰 도움이 되었다.
처음 잡아보는 분필이었지만 아이들 앞에서 선생 노릇을 하는 건 꽤나 즐거웠다. 게다가 다른 선생님들이 제일 기피했던 업무인 학부모 상담은 나에게는 오히려 어렵지 않은 과제였다. 은행에서 고객을 응대하며 쌓은 cs스킬과 관찰력은 영어학원에서 학부모들에게도 통했기 때문이다. 학부모들과 원생들로부터의 좋은 피드백 덕분에 원장 선생님은 점점 나를 신뢰하면서 학원의 주요 이벤트나 강의를 전적으로 믿고 맡겨주셨다.
최근 몇 년 동안 은행과 주방에서 혼나기만 하며 바닥까지 내려갔던 자존감이 학원 생활을 통해 회복되고 있었다. 운인지 실력인지 모르겠지만 초반에 인기 강사로 좋은 호응을 얻게되면서 내가 맡은 반에 아이들이 늘어나면서 한 개 반이 더 신설되기도 했다. 그렇게 3개월이라는 시간이 지나고 원장은 나에게 월급 인상과 대표 강사직을 제안했다. 그리고 3개월 만에 월급을 180만 원에서 300만 원까지 올려주었다. 급여 인상도 좋았지만 무엇보다 정말 오랜만에 받아보는 '인정'에 행복했다.
그때의 감동은 마치 '나한테 꼭 맞는 옷을 입어서 모든 사람들이 잘 어울린다고 칭찬해주는 기분'이었다.

내가 알고 있는 지식을 쉽게 전해주는 일.. 지식을 즐겁게 배울 수 있도록 기획하는 일.. 걱정하고 있는 부분을 상담해 주는 일..
여태까지의 시간이 내가 어떤 것이 부족한지 알아가는 시간들이었다면, 이곳에서는 내가 무엇을 잘하는지 확인하고 인정받을 수 있었던 시간들이었다. 오전에는 딸아이를 돌보면서 개인 운동을 했고, 오후에 출근해서 저녁까지 일을 하고 집에 가도 오히려 예전에 은행을 다녔던 때보다 빨리 귀가하는 시간이었다. 회사 생활을 하면서는 회식이나 야근 때문에 할 수 없었던 운동과 독서를 꾸준히 할 수 있는 시간이 생겨서 좋았고, 원장과 동료 강사들에게 인정을 받을 수록 자존감이 많이 올라갔다. 그 자존감은 자신감의 원동력이 되었고 점점 더 스스로 마음에 드는모습으로 변모해가고 있는 것이 느껴졌다.
'어쩌면 이 학원 사업과 강사 일이 나에게 천직일 수도 있지 않을까?'라는 생각을 하게 되면서, 나중에는 나의 학원을 차리면 좋겠다는 목표까지 가지게 되었다.
그렇게 목표와 꿈이 생기자 다시 나의 인생에도 활력이 생기기 시작했다.

...그렇게 1년 가까운 시간이 흘렀다.. 그러던 어느 날, 아이가 300일쯤 되었을 때 아내가 나에게 말했다.
"학원 강사는 너무 불안정한 거 같아. 더 늦기 전에 취업을 다시 하면 안 될까?"
"..."
사실 나는 은행이라는 조직 이외에 회사다운 회사생활을 한 적은 없었다. 하지만, 처음 4년 동안 은행에서의 회사 생활이 너무 힘들었기 때문에 다시는 그곳 비슷한 곳으로라도 돌아가고 싶지 않았다. 그래서 침착하게 아내를 달래기 시작했다
"한국에서는 나이가 중요해서 서른다섯 살에 신입으로 입사하는 건 어려울 거야"
"저축은행 같은 2 금융권에 경력직으로 들어가면 안 돼?"
"..."
"은행에는 경력직이 거의 없어..."
우리의 현재 상황을 봤을 때 아내가 어떤 마음으로 말했을지는 충분히 이해가 갔다. 산후우울증과 점점 크는 아이를 보면서 많은 생각이 들었을 것이다..
이해를 하면서도 내심 아내의 말이 서운했다. 내가 그 조직에서 얼마나 힘들었는지.. 그리고 어떤 결정을 하고 돌아서 여기까지 왔는지 가장 옆에서 지켜봐 온 배우자가 그런 말을 하니까 서운함과 배신감 같은 감정이 차올랐다.
하지만, 나의 그런 개인적인 감정으로 못한다고 하기에는 믿고 따라와 준 시간들에 대한 고마움이 더 컸기 때문에 아내의 말을 도

저히 무시하고 지나칠 수는 없었다.
"당신이 정 그렇다면.. 이번 하반기 취업에 딱 한 번만 제대로 해볼게"
그렇게 정말 어쩔 수 없이.. 서른 다섯살에 나는 다시 취업준비생이 되었다...
새벽 시간부터 출근 전까지는 취업준비생으로, 오후와 저녁 시간에는 학원에서 일을 했다. 야간에는 아이를 재우고 나서 입사원서를 작성했다.
7년 만에 다시 돌아온 취업시장.. 많은 것들이 예전과는 달라져 있었다. 처음 들어보는 NCS라는 시험... 다시 만들어야 하는 영어점수... 그리고 아예 무슨 말인지도 잘 모르겠는 코딩지식까지.. 세상이 예전과는 다른 역량을 나에게 요구하고 있었다.
"... 이거 내가 할 수 있을까?"
나는 도전하고 부딪히는 걸 두려워하지는 않지만 애당초 누울 자리가 아니면 다리를 뻗지도 않는 성격이기도 했다.. 아무리 긍정회로를 돌려봐도 이성적으로 합격할 것 같은 사이즈가 나오지는 않았다.. 더군다나 한국의 취업 시장에서 은행을 퇴사한 서른다섯 살은 신입도 아니고 경력도 아닌 취업 난민일 뿐이었다.
나의 불안한 느낌은 꽤 정확하다.
7년 전 절반 이상 서류통과를 했었던 것에 비하면 나는 일단 서류통과 자체가 아예 되지를 않았다.
"아.. 이거 그냥 나이에서부터 잘리는 기분인데.."

그때였다.. 운명인지 필연인지 알 수 없는 기회가 왔다.
사회적 이슈로 은행 채용비리 문제가 터지면서 내가 준비했던 딱 그 시점부터 완전 블라인드 채용 형식으로 취업 전형이 바뀐 것이다... 채용 자체를 외부업체에 위탁하면서 나이와 학력, 경력 등 모든 것이 똑같은 상황 속에서 경쟁할 수 있는 상황이 되었다.

'어쩌면 이건 내가 공평하게 경쟁할 수 있는 유일한 길이겠구나'라고 순간 직감했다.
7년 전.. 누구보다 치열하게 준비했었던 은행 취업이었기 때문에 새롭게 생긴 필기시험과 디지털 관련 지식을 제외하고는 취업 전형이 그렇게 낯설지는 않았다.
"어쩌면.."이라는 희망의 끈을 붙잡고 나는 다시 옛날 그 간절했던 시간으로 되돌아갔다.
은행은 매우 보수적인 집단이라서 퇴사를 했던 기록이 있거나 최종합격을 하고 입사하지 않은 기록이 있다면, 다시는 재입사하기 힘들다 라는 은행원들 사이의 불문율이 존재하기도 했다.
하지만, 그때 이후로 꽤 많은 시간이 흘렀기 때문에 '마지막으로 딱 한 번만 해보자'라는 생각으로 도전했다.
그렇게 두 달 동안 육아와 학원일을 하면서 필기시험과 면접을 준비했다. 기존에 가지고 있었던 모든 면접 노하우를 복기하고, 필기시험 통과를 위해 필사적으로 집중했다.
10살 어린 똑똑한 대학생들과의 경쟁에서 경쟁력을 가지려면 선택과 집중이 필요했다.
그래서 기존에 퇴사했었던 S시중은행을 제외한 네 곳의 시중은행만 선택과 집중을 통해 전략적으로 준비를 했다.
서류통과.. 필기시험.. 실무 면접.. 최종면접 통과까지...
'마침내 나는 기적 같은 일을 해냈다'
7년 전에도 최종 합격 되었지만 S은행을 가기 위해 포기했었던 W은행에서 나를 다시 뽑아주었다.
아내는 매우 좋아했다. 그리고 나는 가족들의 많은 축하연락을 받았다.

기쁘면서도 기쁘지 않은 속마음을 뒤로한 채.. 그렇게 나는 다시 한번 서른다섯 살 신입행원이 되었다.

이 세상에 우연히 찾아오는 행운은 없다.
많은 사람이 복권 당첨도 우연히 찾아온 행운이라고 생각하지만,
사실은 꾸준히 복권 구입을 하니까 당첨된 것이다.
우연한 행복을 바란다면.. 먼저 자신이 지금 있는 곳에서 최선을
다해야만 한다.
누군가에게 변명하기 위한 최선이 아닌, 자기 스스로한테 부끄럽지
않을 최선 말이다..
내가 생각하는 우연한 행복은,
최선을 다했다고 말할 수 있는 사람에게만 찾아오는 특별한 선물
이다.

제13화 두 번째 은행원

‘물이 깊어야 배를 띄울 수 있다’

'똑같은 삶을 한번 더 경험할 수 있는 기회가 있다면 어떤 기분일까?"

간혹 영화에서 보면 주인공이 본인 과거의 어떤 시점으로 돌아가는 것을 본 적이 있다.
그 주인공은 현재의 기억을 가지고 과거를 다시 살아가며 새로운 삶의 '나비효과'를 만들어낸다.
그리고 그런 영화 같은 일이 내 인생에도 일어났다..

나는 정확히 7년 만에 다른 시중은행에서 '2회 차 은행원 인생'을 시작했다.
처음 신입행원 연수 첫날 이 상황을 마주쳤을 때 마치 이 장면을 어디서 똑같이 본 것 같은데 라는 '데자뷔' 같은 생각이 들었다.
스프레이로 고정한 듯한 헤어스타일, 몇 번 입어보지 않은 듯한 새 정장, 여행용 트렁크를 한 손에 들고서 어색한 기류 속에 서울역 앞에 모여있는 신입행원 무리들..
7년 전, 바로 옆 건물 다른 은행 신입행원 연수 때 보았었던 모습과 똑같은 장면이었다. 그렇게 나는 7년 뒤 타임머신을 타고 과거에서 미래로 옮겨 온 기분을 느끼며 '두 번째 은행원의 삶'을 시작했다... 연수원으로 출발하는 버스 안에서 이 신기하고도 감사한 상황을 보며 이런 생각이 들었다.
'마치 같은 상황에 다른 인생'을 살아볼 수 있는 기회 같다'
나는 그렇게 마치 데칼코마니처럼 꼭 닮은 2개월 동안의 신입행원 연수를 또 한 번 받게 되었다.

연수원에 들어와서 막상 뚜껑을 열어보니 예상했던 것과는 다른 것들이 많았다. 어차피 간판만 다를 뿐 똑같은 시중은행이니 모든 것이 비슷할 거라고 생각했었지만 분위기와 교육 방식까지 모든 것이 차이가 있었다. 하지만, 그것보다도 나에게 더 흥미로웠던 것은 90년 대생들의 입사동기들이었다. 서태지와 HOT에 환호했던 밀레니엄 아저씨에게 열 살 차이 나는 MZ 동기들과의 2개월간의 합숙은 꽤나 신선한 경험이었다.
가령 예전에 받았던 신입행원 연수는 조별 활동을 통해 함께 하는 팀워크를 강조했었지만, 이제는 똑같은 조별활동을 해도 팀보다는 개개인의 색깔이 보이는 것이 더 느껴졌다. 단적인 예로 식사를 하러 갈 때조차 확연한 차이들이 있었다. 조별로 함께 열 맞춰 식사를 하러 가고 식사의 끝을 마무리했던 과거와는 대조적으로 이번에 만난 동기들은 각자 편한 시간에 편한 사람과 식사를 하는 모습을 볼 수 있었다. 팀 단위 조별 과제를 할 때도 서로의 의견을 피력하느라 의견이 좁혀지지 않은 적이 많았다. 그 와중에 팀원들끼리 갈등이 생기는 상황도 여러 차례 있었다. 나 역시 동기들이 언쟁을 할 때는 중재하고 싶었고 때로는 나의 의견을 피력하고 싶은 적도 있었지만, 띠동갑 동생까지 있는 동기들 사이에서 괜히'나이 많은 꼰대였어'라는 소리를 듣지는 않을까 하는 노파심에 관여하지 않았다. 지나고 나서는 좀 후회되기도 하지만 당시에는 최대한 말을 아끼고 조심스러운 태도로 연수생활을 했던 기억이 있다.
하지만, 그럼에도 불구하고 큰형 또는 큰오빠가 소외감을 느끼지 않도록 챙겨주었던 같은 조 동생들의 배려가 너무 고마웠다. 그리고 이 친구들을 통해 처음 접해본 종족인 90년대 생들에 대한 고정관념을 탈피했다..
'색깔이 좀 더 진해졌을 뿐 90년대 생들은 절대로 덜 착한 친구들

이 아니구나'
좋은 성적을 받고 좋은 지점을 가고 싶어 새벽까지 공부하는 동기들이 많았다. 아마 인사부에서도 그런 면학 분위기를 원했을 것이다. 하지만 나는 지나고 나서는 이 시간이 얼마나 소중한지 너무나 잘 알기에, 동기들과 함께 있는 시간들을 꾹꾹 눌러 담아 최대한 즐기려고 애썼다.
그렇게 2개월의 합숙 기간이 지나고 우리는 각자 발령받은 지점들로 배치를 받게 되었다.

데자뷔 같았던 시간들 그리고 너무나 소중하고 감사했던 새로운 만남들.. 이런 감정이 차오를 때면 잊고 지냈던 예전 생각이 많이 난다.. 그리고 한편으론 허무한 감정도 함께 생겨난다.
행복을 현실이 아닌 과거의 기억과 미래의 소망에서 찾게 되는 오류를 범하는 순간 다시 또 행복에서 멀어지게 된다..
회상에 근거한 불행감이 나를 엄습하기 전에.. 지금 행복해야 한다...
어두운 색 계열의 감정으로 마음이 칠해질 때면 언제부터인가 주문처럼 이 말을 되뇌는 게 습관이 되었다.
'지금 행복해야 한다..'

 나는 첫 번째 직장생활을 실패했다. 유약한 마음과 준비되지 않은 사회성으로 힘들었던 시간들.. 결코 다시는 되풀이하고 싶지 않았다.
'실패한 시간은 소중하다'
아이러니하게도 다시는 돌아오고 싶지 않았지만 누구보다 간절하게 바랬던 두 번째 사회생활..
트라우마 같았던 나의 과거를 극복하고 싶었다.

그런 복잡한 마음과 함께 마침내 나의 두 번째 은행 생활이 시작되었다.
집에서 멀지 않은 지점 그리고 전혀 해본 적 없었던 기업대출 업무... 새로운 선배들과의 만남까지.. 이제는 익숙해진 '또 다른 낯선 시작'이었다.
예전 처음 입행을 했을 때의 설렘이나 열정은 없었지만 '무난하게 잘 지내고 잘 다니고 싶다'라는 마음은 어느 때보다 강했다.
하지만, 이번에도 역시 쉽진 않았다. 조직의 문화 차이인지 시대가 바뀐 건지는 잘 모르겠지만 예전과는 너무 많은 것들이 달랐다. 가장 큰 차이점은 기본적으로 사람들이 '각자도생'하며 살아가고 있다는 느낌을 받았다. 이 조직의 사람들은 저마다의 날 서있는 방어 기제와 본인의 안위를 위한 편 가르기가 몸에 탑재되어 있는 듯 보였다.
그런 사람들과 함께 '팀'으로서 일한다는 것은 정말 '괴로운 일'이었다. 직급에 상관없이 아예 일을 처음 하는 사람에게도 "내가 이 일을 하나 했으니 너도 하나 해"라는 등가교환의 법칙으로 신입행원을 대했다. 이 선배들의 행태를 보고 있자면 '티끌만큼도 손해보기 싫어하는 사람들의 모임'이라고 이름을 지어주고 싶을 정도였다. 남을 배려하는 사람들은 업무량이 과다해지게 되고 업무량이 과다해지면 사람인지라 실수가 나올 수밖에 없는 곳이 은행이다. 그리고 돈과 관련된 업무를 하는 곳에서의 실수는 곳 '금전배상 혹은 사고'를 의미하게 된다. 그리고 이런 사고가 터졌을 때 오히려 앞장서서 자기 동료 또는 후배를 '마녀 사냥' 하는 모습을 보며 나는 큰 충격을 받았다.
"옛날에 다니던 은행에서 쓰레기 같다고 생각했던 선배들도 이 정도는 아니었던 거 같은데.."
내 바로 윗선임은 나보다 1년 먼저 들어온 신입이었는데 나이는 나보다 일곱 살 정도 어렸다. 내 눈에는 뭐든지 열심히 해보려고 하는 사회 초년생 같아 보였는데, 옆에서 이리저리 치이는 걸 보는 게 안쓰러웠다.. 선배들한테 가스라이팅 당해도 꿋꿋이 자기 할 일에 집중하는 사람이었는데 많은 미움을 받고 있었다. 그리고 그 선배가 다른 지점으로 떠나자마자 그런 행동 들은 고스란히 다음 타깃인 나에게도 적용되었다.
오로지 지점 실적에만 관심 있는 지점장..
책임지지 않는 책임자..
업무를 알려주지 않고 일을 떠넘기는 선배까지..
오로지 혼자 이겨내야 하는 상황에 직면했다. 그런 와중에 업무 실수를 통해 받게 되는 고객의 욕과 금전배상은 덤이었다.
이해되지 않는 건 그것뿐이 아니었다. 지점에 인성이 너무 별로라고 생각했던 어린 여직원이 예의 없게 고객이나 혼잣말로 욕을 해도, '카드 판매'를 잘하고 지점 실적에 도움이 되는 사람이면 선배들은 그 행동을 아무도 문제 삼지 않았다.
올바른 위계질서라고 생각하는 모습.. 그리고 내가 생각하는 정상적인 조직관리는 이곳에 존재하지 않았다.
이런 상황들이 1년이라는 시간 동안 경험으로 쌓이게 되면서 이 조직에서 마음이 멀어지기 시작했다.
그때도 지금도 여전히 듣기 싫은 말이지만 '구관이 명관'이라는 말이 괜히 있는 말이 아니라고 느꼈다.
물론 이런 과정들이 첫 번째 은행생활을 할 때도 아예 없었던 것은 아니었다. 하지만, 그때와 한 가지 다른 점은 그때는 서로에게 '인류애'라는 게 있었다. 그리고 인성과는 별개로 본인이 선배라고 생각하는 사람들의 '책임의식'이라는 것이 존재했다.

내가 첫 번째 직장생활을 통해 배운 것 중에 중요한 교훈이 하나 있다.
힘들어도 사람에게 기대면 안 된다..

사람은 원래 생각보다 별로다.. 그게 바로 힘들어도 사람한테 기대면 안 되는 이유이기도 하다.

머리로는 이해했지만 이런 환경 속에서 매일 살고 있는 나의 현실을 부정하고 싶었다. 결국 이런 상황 속에서 내가 할 수 있는 최선은, 상처받지 않기 위해 내 방어막을 두텁게 만들고 남들이 하는 것과 같은 방식으로 대응하는 것이었다.
이런 이기적인 사고방식과 행동은 타인이 나에게.. 그리고 내가 타인에게 하는 것 모두 나에게는 엄청난 스트레스였다. 나에게는 똑같이 싹수없는 방식으로 되돌려주는 것이 가장 힘이 들면서 내 인성과 성격이 하향 평준화 되고 있는 기분이 들기 때문이다.
직장에 있는 모든 순간이 짜증과 분노로 가득 차면서 나는 어느 순간부터 옛날처럼 습관적으로 불행의 씨앗을 뿌리고 있었다.
두 번째 은행에서의 직장생활은 '달라진 나'의 모습을 확인해보고 싶었다. 하지만 내가 기대했던 모습과는 다른 모습으로 바뀌어 가는 '또 다른 나'를 보게 되었다.
중요한 건 그 '또 다른 나'의 모습이 내 마음에 드는 모습이 아니었다는 사실이다.
그곳이 어떤 곳이든.. 연봉을 얼마 주는 곳이든.. 나 다움을 잃어가는 환경만큼 최악인 곳은 없다고 생각했다.
그렇게 1년의 시간을 보낸 후, 나는 이 조직 안에서 나의 남은 미래를 보내는 것은 '바보 같은 일'이라고 확신하게 되었다.

기대가 크지 않으면 실망도 크지 않은 법이다. 그래서 예전처럼 마음의 상처를 입거나 좌절하지는 않았다. 나 같은 휴머니스트 인간에게는 적당히 냉소적이고 적당히 배려하며 사람들을 대하여야만 가능한 일이었다. 다만, '나와는 너무 맞지 않는 곳이구나'라는 생각을 하게 되었다.

생각이 많아졌다. 아내가 원했던 안정적인 직장에 들어왔지만 나의 마음은 정작 다시 불안정해졌다.
불에 데어본 사람은 불이 뜨거운지 안다. 그리고 화상을 입었을 때의 쓰라림도 기억한다. 그렇기 때문에 지난번 실수로부터 배운 것들을 되풀이하고 싶지 않았다.
그저 마음의 상처 없이 최대한 빠르고 조용히 이 무대에서 사라지고 싶은 마음만 남게 되었다..

옛말에 '물이 깊어야 배를 띄울 수 있다'라고 했다. 얕은 물에는 절대로 접시배 하나조차도 띄울 수가 없다는 것이 내가 직접 검증한 인생의 진리이다.
그리고 인생의 큰 물을 채우려면 거친 풍파를 거치는 인고의 시간을 겪어야 한다. 그 과정을 거치고 나면 비로소 조용히 나만의 항해를 시작할 수 있다.
가슴에 작은 종이배 하나조차 띄울 수 없는 사람들과 함께 보내는 것은 '인생의 시간낭비'이다.
이 글을 읽는 분들은 부디 각자 마음의 바다에 작은 종이배 하나라도 띄울 수 있는 여유를 가지고, 시련의 시간과 고난의 물살을 견딜 수 있는 사랑의 배가 되기를 진심으로 소망한다.

제14화 괴짜 직원의 속마음

'새로운 길을 만드는 모험'

10년 정도 직장생활을 하고 어느 정도 인생을 돌아볼 수 있는 나이가 되면서 깨달은 사실이 한 가지 있다.
'타인을 잃는 것보다 더 두려운 것은 나 자신을 잃는 것이라는 사실..'
내가 아닌 모습으로 사랑받는 것보다 자기 자신이 되어 미움받는 것이 차라리 덜 위험하다... 그리고 만약 현실과 타협해야만 자신을 지킬 수 있는 환경이라면 차라리 현실적응을 포기한 괴짜가 되는 것이 낫다.
나는 그런 이유로 어느 순간부터는 '괴짜'가 되기로 결심했다..
진정성 없는 대화에는 참여하지 않았고 누군가를 폄하하며 쌓는 연대감을 거부했다. 당연히 굳이 불편한 식사나 회식 자리에도 참여하지 않았다..
 몇몇 동료들은 마음이 불편하지 않냐며 걱정하는 마음으로 나에게 물어보았지만, 내 생각에 불편한 마음도 서로에게 조금이라도 온정이 남아있어야 가능한 감정이다. 이 조직 안에서 그런 인류애는 진작에 상실되었기 때문에 나에게는 그런 마음조차 남아있지 않았다.
조직 안에서 괴짜가 누릴 수 있는 특혜는 생각보다 많다. 혼자만의 시간을 확보할 수도 있고 굳이 비정상적 인간관계속에 감정소모를 하지 않아도 된다.
그저 '약간의 고독함'을 견딜 수 있는 마음의 체력만 준비된다면 누구나 가능하다.

은행은 팀이라는 구조 아래 각자도생 해야만 하는 감정소모가 많은 시스템으로 돌아간다. 불특정 다수의 손님을 받는 랜덤게임 속에서 마음이 여리고 상대를 배려하는 사람이 항상 이 눈치싸움의 패자가 될 수밖에 없다. 내가 편하면 옆 사람이 힘들어지는 게임... 전형적인 '시소게임'의 구조로 운영된다. 그러므로 이기적인 사람은 한가하고 이타적인 사람은 야근을 해야 한다. 게다가 평균 근속연수가 20년이 넘는 사람이 절반 가까이 되다 보니 타성에 젖은 꼰대들이 정말 많다. 호봉만큼 일을 하는 게 아닌 보상심리로 일선에 앉아있으니 그들이 해야 할 나머지 일들은 옆에 있는 사람의 짐이 될 수밖에 없다. 세상은 바뀌었지만 사람은 바뀌지 않은 조직의 숙명... 월급은 많이 가져가지만 정작 일은 하지 않는 선배들에게 존경심을 표하는 후배는 없다. 반면 자기 것만 하고 동료의 일은 모른척하는 것이 똑똑한 거라고 믿는 젊은 직원들까지... 이쪽 세계에서 좋은 감정으로 일할 수 있는 유일한 경우의 수는 '좋은 사람과 좋은 사람의 만남'외에는 없다. 그렇기 때문에 내 생각에 은행원의 가장 중요한 복불복은 '옆에 앉아있는 동료가 누구 걸리냐'라고 생각한다.

'조직의 기준이 나의 갈망을 채워주지 못한다면 나라도 내 길을 만들어야 한다'
당시의 나에게는 안팎으로 생각할 시간이 필요했다. 달려가면서가 아닌 잠시 멈춰서 나와 가족을 돌아볼 수 있는 시간이 필요했다.
그래서 나는 내가 할 수 있는 최선의 선택을 했다. 나의 이민 도전기에 함께 올라타며 경력이 단절된 아내에게도 사회로 돌아갈 수 있는 시간을 주고 싶었고, 무엇보다 아이와도 좋은 추억을 더 많이 쌓을 수 있는 부모가 되고 싶었다.
그렇게 나는 회사에 육아휴직을 신청했다.
예상은 했지만 반응은 싸늘했다. 주변에서는 말을 아끼며 수근 되는 모습들이 보였고, 나를 아끼는 마음에 조언을 해주는 사람들은 모두 다시 생각해 보라 했다.
나는 살면서 큰 물의를 일으켜 본 적이 없다. 그래서 큰 사고를 치면 사람들이 어떤 시선으로 나를 대하는지 경험해보지 못했는데 딱 이때의 분위기가 그런 느낌이었다.
누군가는 본인이 은행을 20년 다니면서 남자가 육아휴직을 쓰는 것을 처음 본다며 혀를 차기도 했고, 또 누군가는 나를 대놓고 이상한 사람으로 취급했다.
'그러거나 말거나.. 나는 내 갈길을 가기로 했다'
이런 부분에서만큼은 제법 마음 근육이 단단해진 것 같다. 적어도 이제 남들의 시선 따위에 휘둘리지는 않으니까..
그렇게 나는 육아휴직을 들어갔다.
비록 이 시간들의 기회비용으로 회사에서 이상한 사람이 됐을지언정 나에게는 너무 의미 있는 시간들이었다. 그때가 아니면 할 수 없는 것들을 아이와 함께 하고 있다는 것만으로도 충분히 가치 있는 시간들이었기 때문이다. 덕분에 아내도 본인이 원하는 곳에서 다시 사회생활을 시작할 수 있었다.

지금도 가끔 훌쩍 커버린 딸과 함께 내가 육아휴직 때 함께 했던 추억들에 대해서 이야기를 하고는 한다.
비 오는 날이면 우비를 쓰고 개구리 소리를 들으려고 밖에 나갔던 일..
등원길에 눈에 보이는 꽃과 곤충들에 대해 이야기하며 봄노래를 불렀던 일..
그네를 타는 법을 알려주며 처음 발 구르기에 성공했던 순간까지..
네 살짜리가 뭘 기억하겠어 라고 했던 모든 기억들을 딸아이는 지금까지 기억하고 있었다.
이런 작은 순간들이 나에게는 모두 선물 같은 추억들이다.

'어린 시절은 아이와 부모사이의 작은 연결의 순간들로 이루어진다'
그렇게 나는 나에게 주어졌던 그때의 순간들을 최선을 다해 사랑했다.

하지만, 약속된 시간은 흘러갔고 다시 복직을 하게 되었다.
내 생각에 발 없는 말이 천리 간다 라는 말은 아무래도 은행에서 유래된 말인 것 같다. 새로 만난 동료들은 '육아휴직을 쓰고 돌아온 남직원'이라는 이유만으로 시작부터 나에 대해 색안경을 끼고 바라보는 게 느껴졌다. 당시 나의 팀장은 이 지역에서 성격이 이상하기로 유명한 사람이었는데 오자마자 '네가 한번 버텨보나 보자' 라는 느낌으로 모든 사무분장을 나에게 할당했다. 지점의 자동화기계, 서무담당 그리고 매달 기일관리와 사후관리까지 보통 2~3명이 나눠서 하는 부수업무를 모두 나에게 시켰다. 할 일이 없어도 본인보다 일찍 퇴근을 하면 다음날 심술을 부렸고 옆에 다른 팀원과는 귓속말로 대화를 했다.
"참.. 수준 떨어지는 사람들이 많구나.."
이때 이후로도 나는 다음지점에서도 이렇게 귓속말로 대화하는 직원을 한 차례 더 경험했다. 심지어 이 직원은 먹을 것을 나눠주는 것마저도 의도적으로 한 명을 배제하고 나눠주는 유치한 행동을 하며 감정을 소비시켰다. 이런 행동을 했던 사람들의 공통점은 본인들이 나보다 높은 직급에 있었다는 점과 나보다 업무를 조금 더 많이 알고 있다는 점이었는데.. 쉽게 말해 갑질이었다. 그렇게 나는 이런 사람들과 부딪혀가며 나와 맞지 않는 옷을 입고서 여전히'은행원'으로 살아가고 있다.

사람은 겪은 만큼만 보이기 마련이다... 그렇게 돌고 돌아 나는 다시 원점에 서있다.

어쩌면 10년 전 원점보다 한두 발자국 뒤에 서있다는 표현이 맞을 것 같다.
나는 여태껏 살아오면서 마지막에 웃는 자가 승리한다고 생각해왔다. 버티고 견뎌서 마지막에 웃는 자가 최후의 승자라고...
하지만 그 생각은 틀렸다.
최후의 승자는 마지막에 웃는 자가 아니라 자주 웃는 자다
나는 이제 자주 웃을 수만 있다면.. 피할 수 있다면 피하고 도망칠 수 있다면 도망칠 것이다.
"도망치는 게 뭐 어때서.."
나는 더 이상 파랑새를 찾기 위해 집을 나서지 않을 것이다. 애당초 내 마음속에서 내가 낳고 내가 키워야만 보이는 존재였던 것이다.
적어도 내가 깨달은 직장 안에서의 행복이란
'자신을 찾는 것이 아닌 자신을 만들어가는 과정'에 있다.

제15화 이대리는 왜 유투버가 되었을까?

'이기적 이타심'

10년이라는 시간을 찾아 헤맸지만 결국 내가 찾던 파랑새는 없었다. 대기업을 그만두고 해외이민을 떠나 새로운 일을 하면서 다시 돌아와서 은행원이 되기까지...
나의 이런 여정을 지켜보며 누군가는 무모하다고 했고 누군가는 응원을 해주었다.
결국 지나고 나서 보니 마치 어려운 시험문제를 고민하고 풀었는데 '정답 없음'이라고 적혀 있는 답안지를 보고 있는 기분 같다고나 할까?
덕분에 손도 대지 못한 다른 문제들은 내 인생의 기회비용이었을 것이다.

결코 짧지만은 않았던 10년 간의 여정을 지금 시점에서 나만의 용어로 정의 내리고 싶었다.
찬란한 고통.. 용감한 바보.. 안정적인 권태..
모순 같은 삶 속 단어들 속에서 결국 '정답은 없다'라는 허무한 진실만이 현재 내 인생 최종 답안지로 남아있다.
결과만을 놓고 보면 인생은 참 허무하다. 그래서 지나온 길도 앞으로 나 아길 길도 결국은 과정에서 의미를 찾아야만 한다. 엎어지고 넘어지며 걸어온 10년의 시간.. 비록 나는 과거와 똑같은 일을 하고 있지만, 내가 지나온 발자국은 파랑새가 아닌 '진짜 나의 모습을 찾게 해 준 시간들'이었음에 감사하다.
그 시행착오 속에 깨달은 것들을 자양분 삼아 지금 현재의 나를 더욱 성장시키려 한다.

지금도 나는 '은행'이라는 조직 안에서 '고통과 권태의 중간 어디쯤의 삶'에서 남들처럼 평범하게 살아가고 있다. 조직이 마음에 들지 않지만 바꿀 힘이 없을 때.. 우리 각자는 존엄한 존재로서 환경을 바꿀힘은 없어도 그에 어떻게 대응할지 결정할 자유는 가지고 있다.
나는 파랑새를 찾아 떠났던 지난 10년의 여정 속에서 발생한 '마찰력'으로 지금의 삶을 살아가고 있다.
'행복해지고 싶다면 가진 것을 즐길 줄 알아야 한다. 그리고 자신이 좋아하는 것으로 자신을 정의해야 한다'
내가 은행에서 근무를 하는 동안 가장 즐거웠던 순간들은 언제였을까? 곰곰이 생각해 보니 사람들에게 내가 알고 있는 지식을 통해 도움을 줬을 때 가장 큰 보람을 느꼈던 것 같다.

'내가 경험한 것을 나누겠다는 꿈...'
그것으로부터 또 다른 시작을 할 수 있었다.
나는 자본주의 심장이라고 할 수 있는 은행이란 곳에서 여전히 돈 얘기만 하는 일을 하고 있지만, 모든 사람이 돈돈 거리는 이 사회에 큰 염증을 느끼고 있다.
그래서 나는 적어도 돈보다 가치전달에 집중하는 사람이 되고 싶다..
"어떻게 하면 타인에게 내가 알고 있는 가치를 잘 전달할 수 있을까?"
자신의 일에 전념하며 이런 고민을 하고 삶을 살아가면 인생이 행복해지는 것은 물론 돈도 자연스레 따라온다고 생각한다. 그렇게 나는 현실과 이상의 중간 어디쯤에서 스스로 타협하며 '또 다른 나'를 만들기로 결심했다. 그렇게 시작하게 된 것이 지금의 유튜브 채널 '현직은행원 뱅대리의 상담창구'였다.

'당신의 은행가는 시간을 저금해 드리겠습니다'
그렇게 나는 유투버 뱅대리로 활동하며 사람들의 온라인 상담을 해주기 시작했다.
영업점에서 물심양면 도와주고도 결국 카드와 보험을 팔면서 감동과 실적을 등가교환 해야 하는 현실세계와는 다르게, 온라인에서 내가 만들어놓은 이 공간에서는 순수하게 내가 원하는 방식으로 사람들을 도와줄 수 있는 환경을 조성할 수 있었다.

'세상의 시계가 아닌 나만의 시계에 세상을 맞추고 싶었던 오랜 바람'이 이루어진 순간이었다.
은행에 오는 손님의 대부분은 자신의 반나절 혹은 하루라는 시간을 투자하여 은행에 방문을 한다. 누군가는 연차휴가를, 누군가는 바쁜 점심시간을 쪼개어서 단 하나의 질문과 상담을 위해 기꺼이 은행 방문을 하고 있는 것을 수도 없이 경험하고 있다. 이런 분들을 보면서 매우 안타까운 마음이 들었다. 그리고 이런 사람들을 위해 내가 작게나마 답변을 해줄 수 있는 '온라인 상담 창구'를 운영하면 나의 재능으로 많은 사람들에게 도움을 줄 수 있을 거라는 생각이 들었다.

나는 돈보다 시간이 더 소중한 가치라고 생각한다. 그리고 지금 이 뱅대리라는 부캐활동을 통해 많은 사람들의 시간을 아껴주고 있으며 그분들에게 대가 없이 베풀고, 받는 감사 인사 한마디에 매우 큰 자부심과 행복함을 느낀다.
물론 이런 나의 행동이 몇몇 주변 인들에게는 '특이한 행동'으로 비치는 것 같다.
"돈도 안 되는 그런 걸 왜 해?"
"그런 거 할 시간에 차라리 승진 자격증 공부를 해"
"...."

'특별한 사람'으로 보이고 싶은 마음까지는 없지만 그렇다고 '특이한 사람'으로 불리고 싶지 않았다. 이런 이유로 나는 주변 사람들에게는 굳이 나의 또 다른 자아를 공개하지는 않고 있다.

나는 이런 나의 행동을 '이기적 이타심'이라고 스스로 정의 내렸다.
어차피 아무도 갖지 않는 관심 속에서 나의 존엄함을 지키기 위해 내가 할 수 있는 가치 있는 일이기 때문에.. 나는 뱅대리로 살아갈 때 너무 행복하다.
그냥 이대리로 살아도 괜찮다.. 하지만, 나는 내가 어떤 상황에 처하든 조금이라도 더 행복한 사람으로 살 수 있을지에 대해 계속 고민했고, 그 결과, 지금 뱅대리로서의 삶을 통해 이대리가 현실에서 느끼는 결핍을 채워가고 있다.

'행복의 크기가 아닌 빈도를 늘리자'
이게 바로 내가 돌고 돌아 깨달은 '행복론'의 핵심명제이다.
나는 행복도 습관이라고 생각한다. 그리고 그런 습관을 만들려면 자주 행복해야 한다.
10년 동안 내가 지켜봤던 행복한 사람들은 '행복한 일이 생기는 사람들이 아니라 행복해지기로 결심한 사람들'이었다.
또한, 이제는 변화하는 대상에서도 행복을 찾지 않으려 한다.
'이 일만 잘 되면 행복해질 거야..'
'이 만큼만 돈을 모으면 행복해질 거야..'
이런 변화하는 목표 속에 갇혀 살았던 나의 과거들이 아마도 내 행복을 가리는 장애물이지 않았을까??
나는 이제는 매일 아침 눈을 뜨며 이렇게 주문을 외운다
'지금 당장 행복하자'

제16화 마흔 살의 비망록

'지금 당장 카스테라를 먹자'

어느덧 내 첫 연재 단행본인 '파랑새를 찾는 직장인'의 마지막 이야기를 할 시간이 왔다. 이번 편은 내 마음속 에필로그이자 프롤로그이기도 하다

탁월한 글쟁이는 아니지만 미래를 고민하며 나름대로 사색에 빠져 자유롭게 글을 끄적거리는 걸 좋아한다. 앞만 보고 달려왔던 삼십대를 지나 마흔 살이 되면서 한 번쯤 인생을 복습해 보고 싶은 마음이 생겼다. 그리고 그 마음을 글로 옮겨보기로 결심했다.
그게 시작이었던 것 같다.

내가 쓰는 글은 지극히 감성적이고 주관적인 글이다..
그리고 어제를 향해 걷는 글이기도 하다.. 이러 시간을 통해 지난 30대를 회상하고 나의 나은 인생에 그 추억을 자양분으로 사용하고 싶었다.
10년 동안 밀린 일기를 쓰는 마음으로 '파랑새 찾는 직장인'을 써나갔다.
누군가 나의 삶을 알아주기를 바라는 마음보다도 마흔 살의 내가 삼십 대의 나에게 보내는 심심한 위로와 공감의 메시지에 가까운 내용들을 적은 것 같다.
마흔 살.. 이제는 삶에서 환상과 낭만을 걷어 낼 줄 아는 나이가 되었다.
나의 청년 시절에 대한 비망록이기도 했던 이 책의 마무리를 내 스타일대로 정리해보고자 한다.

하나. [꿈꾸는 사람에게 실패는 없다]
나의 삼 십대를 한마디로 요약하자면 '도전'이라는 단어를 빼놓을 수 없을 것 같다. 당연히 도전이라는 말 뒤에는 성공 혹은 실패라는 결과물이 따라온다. 나 역시도 크고 작은 도전들과 시행착오를 겪으며 이뤄낸 것도 있고 이루지 못한 것도 있었다. 누군가는 나의 도전을 성공이라는 말로 치켜세워주기도 하고 실패라는 말로 나의 과정을 평가하기도 한다.
하지만 내가 확신하는 게 한 가지 있다.
'꿈꾸는 사람에게 실패는 없다'
내가 생각하는 실패란 '해보지 않은 도전들'이다. 그리고 이 도전 앞에 망설인 기회들이야말로 진짜 인생의 낭비이다.
생각보다 청춘은 짧다. 그러므로 우리는 행동하면서 생각해야 한다.. 생각만 해서는 아무것도 일어나지 않는다.
넘어지고 깨지더라도 그 과정에서 얻은 '경험'은 금보다 값지다. 그게 누구든 도전이라는 벽 앞에서 주저하지 않았으면 좋겠다.

둘. [아름답게 살자]
최근에야 알았다.
'아름답다'라는 말에서 아름의 어원은 '나'를 의미한다는 것을..
결국 아름답다는 말은 '나답다;라는 의미이다. 이 말을 듣는 순간 왠지 모르게 가슴이 몽글몽글해졌다. 사실 나이를 먹으면서 점점 겁이 많아지고 있는 것은 사실이다. 지켜야 할 가족과 챙겨야 할 사람들이 생겼기 때문에 책임감이라는 무게는 나를 겁쟁이로 만들었다...
넘어지고 부딪혔지만 나를 찾아가는 과정은 행복하고 소중했다. 하지만 이제는 잘못 뛰다가 넘어지면 영영 다시 일어나지 못할 거라는 두려움이 마음 한편에 자리 잡고 있다. 좀 더 솔직해지자면 예전처럼 열정만 믿고 무작정 달릴 자신도 없다.
부단한 번민을 하던 삼십 대를 지나 내 앞에 주어진 새로운 숙제라고 할 수 있다.
가장으로서의 무게감.. 직장에서의 책임감.. 이제는 내 안의 나와 타협을 하면서 앞으로 나아가야 할 시기이다. 계속 밟기만 했던 액셀대신 브레이크를 잘 활용해야 한다. 그래야 내 뒷좌석에 타고 있는 소중한 사람들을 지킬 수 있다.
하지만, 이런 모든 고민을 뒤로한 채 가슴속에 첫 번째로 새겨두고 살아야 하는 말이 있다.
"나답게 살자. 누구보다 아름답게"

셋. [지금 당장 행복하자]
개그맨 신동엽 씨가 본인의 어린 시절 일화를 방송에서 말한 적이 있는데 너무 공감되는 내용이라 인용하고자 한다.
"신동엽이 어릴 적 유치원을 너무 가고 싶었는데 형편상 갈 수가 없었다. 그래서 대신 교회부설 유치원을 갈 수 있을까 해서 알아보고 돌아온 신동엽의 어머니께서, 실망한 아들을 달래기 위해 신동엽이 가장 좋아하는 카스테라와 우유를 사주겠다고 했다. 당시 가정 형편이 어려웠기 때문에 카스테라와 우유는 아버지의 월급날에만 먹을 수 있는 간식이었다고 한다. 그때 어린 신동엽은 눈물을 뚝뚝 흘리면서 더 이상 떼를 쓰지 않고 카스테라와 우유를 선택해서 먹었는데 그 선택이 본인이 살면서 했던 행동 중 가장 잘한 선택들의 시작이었다고 한다"

이 이야기의 메시지는 분명하다
'지금 할 수 있는 최선의 선택을 하자'
놀고먹으면서 욜로인생을 살자는 말이 아니다. 평범한 인생을 특별하게 여기면서 오늘을 소중하게 사는 사람은 항상 내가 생각한 파랑새를 키우고 있었다. 하지만, 미래의 언젠가를 위해 지금을 희생하며 사는 사람은 평생 파랑새를 찾아 해낼가능성이 높다..
삶은 결코 우리의 결정대로 되지 않으니 오늘 하루 최선을 다해 살았다면 그냥 편안한 마음으로 자도 된다. 그리고 다시 매일 아침 일어나면 지나간 어제의 선택에 대해 후회하기보다 오늘 하루를 더 잘 살아야겠다고 다짐하며 시작을 하면 된다.
'그것만이 내가 나의 과거에 지지 않는 유일한 방법이다'
이 말을 끝으로 그동안 청년시절 겪었던 혼자만의 깨달음과 다짐을 늘어놓으면서 나의 청년시절 이야기를 마무리하고자 한다.

*그동안 뱅대리의 '파랑새 찾는 직장인'을 응원해 주신 모든 분들께 정말 감사드립니다 ;)